Linda von Nerée

Das touristische Potential Hamburgs für chinesische Europa-Reisende

Eine Bestandsanalyse
mit konkreten Veränderungsvorschlägen

Schriftenreihe der School of International Business
Internationaler Studiengang für Tourismusmanagement (ISTM)

Herausgegeben von Felix Bernhard Herle

Band 6

SCHRIFTENREIHE DER SCHOOL OF INTERNATIONAL BUSINESS

Internationaler Studiengang für Tourismusmanagement (ISTM)

Herausgegeben von Felix Bernhard Herle

ISSN 1863-9798

1   *Katharina Schirmbeck*
    Markenbildung für Regionen
    Dachmarkenkonzepte im deutschen Regionalmarketing
    ISBN 3-89821-689-6

2   *Stefanie Kranawetter und Ivonne Mühlner*
    Erfolgreiches Krisenmanagement für Reiseveranstalter
    Ein Handbuch für plötzlich auftretende Krisen im Tourismus
    ISBN 978-3-89821-835-1

3   *Angela Bergner*
    Tourismus als Mittel zur Armutsminderung in Nepal
    Das "Tourism for Rural Poverty Alleviation Programme" (TRPAP)
    ISBN 978-3-89821-853-5

4   *Felix Bernhard Herle*
    Strategische Planung grenzenloser Destinationen
    Vertikale und branchenübergreifende Erweiterung Touristischer Regionen
    ISBN 978-3-89821-908-2

5   *Birte Heidbreder*
    Gütesiegel zur Einflussnahme auf die touristische Entwicklung
    einer Destination
    Erfolgsanalyse des CST Costa Ricas für nachhaltigen Tourismus
    ISBN 978-3-89821-986-0

6   *Linda von Nerée*
    Das touristische Potential Hamburgs für chinesische Europa-
    Reisende
    Eine Bestandsanalyse mit konkreten Veränderungsvorschlägen
    ISBN 978-3-89821-780-4

Linda von Nerée

DAS TOURISTISCHE POTENTIAL HAMBURGS FÜR CHINESISCHE EUROPA-REISENDE

Eine Bestandsanalyse
mit konkreten Veränderungsvorschlägen

Schriftenreihe der School of International Business
Internationaler Studiengang für Tourismusmanagement (ISTM)

Herausgegeben von Felix Bernhard Herle

Band 6

ibidem-Verlag
Stuttgart

Bibliografische Information der Deutschen Nationalbibliothek
Die Deutsche Nationalbibliothek verzeichnet diese Publikation in der
Deutschen Nationalbibliografie; detaillierte bibliografische Daten sind im
Internet über http://dnb.d-nb.de abrufbar.

Bibliographic information published by the Deutsche Nationalbibliothek
Die Deutsche Nationalbibliothek lists this publication in the Deutsche Nationalbibliografie;
detailed bibliographic data are available in the Internet at http://dnb.d-nb.de.

Coverbild: © Olaf Schneider / PIXELIO

∞

Gedruckt auf alterungsbeständigem, säurefreien Papier
Printed on acid-free paper

ISSN: 1863-9798

ISBN-10: 3-89821-780-9
ISBN-13: 978-3-89821-780-4

© *ibidem*-Verlag
Stuttgart 2009

Printed in Germany

Vorwort

Die Hochschule Bremen ist bereits seit Jahrzehnten eine international sehr gut vernetzte und anerkannte große Fachhochschule in Deutschland. Stets galt sie als Vorreiterin für wesentliche innovative Entwicklungen. Mit der Verleihung des „Best Practice Award" des CHE, des „Marketingpreises" des DAAD und der Auszeichnung als „Reformhochschule" durch den Stifterverband ist dies angemessen und öffentlich gewürdigt worden.

Diese herausgehobene Stellung zu erhalten und weiter auszubauen ist natürlich eine wesentliche Triebfeder, sich Entwicklungen zeitgemäß anzupassen. Deshalb wurde in der Hochschule Bremen in den letzten Jahren eine Reihe tiefgreifender Veränderungen initiiert, angefangen bei der Umstellung auf das Bachelor-/Mastersystem über die Reformierung bestehender und die Einrichtung neuer Studienprogramme bis hin zur Reorganisation der 9 Fachbereiche und ihre Zusammenfassung zu 5 Fakultäten.

Bei all diesen Entwicklungsprozessen haben die Fachbereiche „Nautik und Internationale Wirtschaft/School of International Business (FB 6)" sowie „Wirtschaft (FB 9)" eine besondere Rolle in der Hochschule Bremen gespielt. Von Beginn an galt die Internationalisierung als das wesentliche Markenzeichen beider Fachbereiche. Seit März 2008 sind beide Fachbereiche zur Fakultät Wirtschaftswissenschaften fusioniert. Die Bezeichnung „School of International Business (SIB)" aus dem ehemaligen FB 6 wurde dabei auch für die neue Fakultät als bereits etablierter Markenname beibehalten, nicht zuletzt, um die besondere Bedeutung der Internationalität in der Fakultät zu unterstreichen.

Mit nunmehr über 3200 Studierenden prägt diese große Fakultät natürlich das Profil der Hochschule Bremen deutlich: Von den elf Bachelorstudiengängen und zehn Masterstudiengängen (davon drei als konsekutive Masterstudiengänge der Fakultät bzw. in Verbindung mit der Fakultät Gesellschaftswissenschaften) sind nahezu 90 % internationalisiert, zum großen Teil mit einem verpflichtenden Auslandsaufenthalt, einem erheblichen Anteil curricular verankerter englischsprachiger Lehrveranstaltungen, einer intensiven interkulturellen Vorbereitung auf Auslandsaufenthalte und einer multikulturellen Lehr- und Lernatmosphäre, die durch ca. 200 internationale Gaststudierende (Incomings) und viele Lehrende von internationalen Partnereinrichtungen geprägt ist. Die Fakultät unterhält ca. 80 Auslandskooperationen weltweit, die von ca. 500 Studierenden (Outgoings) für das Auslandsstudium/Auslandspraktikum genutzt werden.

Mit dem jährlichen SIB-Kongress bietet die Fakultät einer breiten Öffentlichkeit die Möglichkeit, sich intensiv mit den Leistungen der Fakultät vertraut zu machen und Studierende wie Lehrende kennen zu lernen.

In diesem Sinne ist auch der nun vorliegende neue Band der Schriftenreihe der School of International Business (in Kooperation mit dem *ibidem*-Verlag) als Aufforderung zu verstehen, sich mit ausgewählten Beiträgen unserer Lehrenden und Absolventen auseinander zu setzen.

Ich wünsche unseren Leserinnen und Lesern viel Freude bei der Lektüre und bin sicher, dass Sie sich von der Qualität unserer Fakultät auch auf diesem Wege überzeugen können.

Prof. Dr. Dietwart Runte
Dekan der School of International Business/Fakultät Wirtschaftswissenschaften

Inhaltsverzeichnis

Abbildungsverzeichnis

Abkürzungsverzeichnis

ADS	Approved Destination Status
BIP	Bruttoinlandsprodukt
BSP	Bruttosozialprodukt
COP	China Outbound Reserach Project
DZT	Deutsche Zentrale für Tourismus e.V.
ECTW	European Chinese Tourist Welcoming Award
HHT	Hamburg Tourismus GmbH
HSV	Hamburger Sport-Verein
HVV	Hamburger Verkehrsverbund
HWF	Hamburgische Gesellschaft für Wirtschaftsförderung
PATA	Pacific Asia Travel Association
STK	Shanghai Tourismuskommission
USP	Unique Selling Proposition
VFR	Visiting Friends and Relatives
WTO	World Tourism Organisation

"Without the right product for the right people,
no marketing - no matter how smart or creative -
will produce significant results" (Raza 2005, S. 27).

1 Einleitung

Das Wirtschaftswachstum in China ist in den letzten Jahren stetig gestiegen. Im Jahr 2003 betrug es 9,1% (DZT-China 2005, S. 5). Die chinesische Mittelschicht wächst jährlich um ca. 1 Mio. Menschen. In Zukunft wird es einem immer größeren Anteil der chinesischen Bevölkerung möglich sein zu reisen. Auch die Deregulierung im chinesischen Outbound-Reisemarkt seitens der Regierung trägt dazu bei, dass sich Auslandsreisen in China steigender Beliebtheit erfreuen. Als das bevölkerungsreichste Land der Erde stellt China mit 1,3 Mrd. Einwohnern ein großes Potential für die Tourismusindustrie dar (DZT-China 2005, S. 4). Die World Tourism Organisation (WTO) erwartet, dass die Nachfrage nach Auslandsreisen in den kommenden Jahren überproportional auf insgesamt 100 Mio. Menschen im Jahr 2020 ansteigen wird. Die chinesischen Reisenden werden dann an vierter Stelle der Besucherankünfte weltweit stehen (2003, S. 27-28). Neben dem asiatischen Raum ist besonders Europa mit seiner reichhaltigen Kultur als Destination bei den chinesischen Touristen sehr beliebt. Die Ankünfte von chinesischen Gästen in Deutschland nahmen in den letzten Jahren beständig zu. Das Wachstum lag im Jahr 2004 bei plus 44,5%. Gemessen an der Entwicklung wird diese Besuchergruppe in den nächsten Jahren an Bedeutung gewinnen und in Zukunft einen großen Anteil der Besucherankünfte in Europa ausmachen.

Zunehmend wird das Potential dieser Zielgruppe auch von touristischen Unternehmen und Destinationen in Deutschland erkannt. Bei den Vorbereitungen für die chinesischen Besucher sind die besonderen Charakteristiken dieses Gästekreises zu beachten und somit die touristischen Angebote anzupassen. Die Hansestadt Hamburg unterhält seit Jahrzehnten intensive Handelsbeziehungen zu der Volksrepublik China. Seit fast 20 Jahren besteht eine Partnerschaft zwischen der Hansestadt und Shanghai, die u.a. den Bereich Tourismus mit einschließt. In Zukunft möchte Hamburg in Europa nicht nur der bedeutendste Wirtschaftsstandort für China sein, sondern auch als die China-freundlichste Stadt gelten (HHT 2005b, S. 1). Für diese Arbeit wird im Rahmen der Produktpolitik der Schwerpunkt auf die Produktanpassung für chinesische Touristen der Destination Hamburg gelegt. Zu beachten ist, dass in der Praxis die

Gestaltung von Produkten und die anderen Marketing-Instrumente, Preis-, Kommunikations- und Distributionspolitik, in ergänzender bzw. unterstützender Verbindung zueinander stehen. Die Produktpolitik wird von Haedrich als das Herz des Marketing bezeichnet (1996, S. 7). Ohne die richtigen Produkte für eine Zielgruppe, wird das Marketing wenig Erfolg verzeichnen (Raza 2005, S. 27).

1.1 Problemstellung

Chinesische Privat- und Urlaubsreisen stellen in Europa ein relativ neues Phänomen dar. Dieses Zielsegment besitzt ein sehr großes Potential, das es zu nutzen gilt. Die Anpassung der touristischen Dienstleistungen in einer Destination ist ein wesentlicher Schritt, um von den zunehmenden Besucherankünften in Europa zu profitieren. Chinesische Touristen weisen in den Gewohnheiten sowie der Sprache und Mentalität große Differenzen zur deutschen Kultur auf und unterscheiden sich grundlegend von den derzeitigen Besucherströmen aus z.B. den USA oder Japan nach Europa. In den bereisten Ländern und Regionen herrscht überwiegend ein sehr geringer Wissensstand über diese Touristengruppe vor. Deshalb empfinden chinesische Touristen die empfangenen Leistungen meist als nicht zufriedenstellend.

Die Arbeit beschäftigt sich mit der Fragestellung, wie die Produkte in einer Destination angepasst werden sollten, um den Bedürfnissen und Vorlieben chinesischer Touristen gerecht zu werden. Als Beispiel dient die Hansestadt Hamburg, denn diese besitzt als Wirtschaftsstandort in Europa eine große Bedeutung für die Volksrepublik China. Im Bereich der Privat- und Urlaubsreisen hingegen bedarf es weiterer Maßnahmen, um die Angebote entsprechend den Anforderungen chinesischer Gäste zu gestalten und somit die Attraktivität der Stadt als Reiseziel zu steigern.

1.2 Zielsetzung

Viele Destinationen haben die zukünftige Bedeutung von chinesischen Touristen erkannt, aber die Instrumente des Marketing-Mix sind bisher kaum auf diese Zielgruppe ausgerichtet. In dieser Arbeit ist der Schwerpunkt auf die Gestaltung von touristischen Produktbausteinen in einer Destination gelegt. Es ist nötig Anreize zu schaffen, um eine Destination bei den Chinesen in ein begehrtes Reiseziel zu verwandeln. Somit müssen die Angebote der touristischen Leistungsträger im Zielgebiet auf die Bedürfnisse dieser Zielgruppe angepasst und attraktive Programme für das Segment entwickelt werden.

Die Zielsetzung der Arbeit ist es herauszufinden wie Angebotselemente in einer Destination für die Bedürfnisse chinesischer Touristen gestaltet werden sollten. Am Beispiel der Hansestadt Hamburg werden mögliche Veränderungen in der Destination aufgezeigt. Der Schwerpunkt wird hierbei auf chinesische Pauschaltouristen gelegt, da dieser Gästekreis in den nächsten Jahren einen starken Wachstumstrend verspricht.

1.3 Vorgehensweise

Nach der Erklärung der wichtigsten Begriffe beginnt die Arbeit mit der Darstellung theoretischer Grundlagen. Als Erstes wird das Angebot einer Destination näher erläutert. Hierunter fällt die Betrachtung der Besonderheiten von touristischen Produkten, Sichtweisen einer touristischen Destination sowie den Angebotselementen, der Dienstleistungskette und den Akteuren eines Zielgebiets. Im folgenden Kapitel werden chinesische Reisende als Zielgruppe analysiert. Dieses Segment wird nach demographischen, kulturellen und reiseverhaltensorientierten Merkmalen abgegrenzt. Im Anschluss wird die momentane Situation des chinesische Reisemarktes in Deutschland und Hamburg dargestellt.

Am Beispiel der Hansestadt Hamburg soll aufgezeigt werden, wie die Bausteine des touristischen Angebots in der Destination auf die Bedürfnisse von chinesischen Reisegruppen angepasst werden sollten. Dieses erfolgt in drei Schritten, zuerst wird der aktuelle Stand der Angebote analysiert, hiernach einige Best Practice Beispiele herangezogen und schließlich Handlungsempfehlungen für weitere Maßnahmen aufgezeigt. Die Grundlage dieses Abschnitts beruht auf einer Sekundärrecherche ergänzt durch Expertenaussagen.

Im Rahmen der Ist-Analyse wird zuerst auf das Image der Hansestadt Hamburg bei Chinesen und die Positionierung der Destination für den chinesischen Markt eingegangen. Weiterhin werden die Akteure der

Hansestadt betrachtet, die Einfluss auf den chinesischen Incomingtourismus ausüben. Untersucht werden außerdem die bisherigen Angebote für chinesische Touristen von Leistungsträgern entlang der touristischen Dienstleistungskette. In Form von Best Practice Beispielen werden Maßnahmen aufgezeigt, um das touristische Angebot einer Destination noch besser auf die Vorlieben chinesischer Urlauber abzustimmen. Es soll herausgefunden werden, wie das Angebot der Destination Hamburg für diese Zielgruppe attraktiver gestaltet werden könnte. Hierzu werden abschließend Handlungsempfehlungen zur weiteren Anpassung der Destination gegeben.

1.4 Begriffserklärung

Angebot

Das Angebot bezeichnet Güter und Leistungen, die auf einem bestimmten Markt zur Abgabe offeriert werden (Schroeder 2002, S. 24). Das touristische Angebot umfasst auf der einen Seite eine bestimmte Leistung bzw. überwiegend ein Bündel an Leistungen (Transport, Unterkunft, Verpflegung, etc.), die für die Nachfrage dargeboten werden. Auf der anderen Seite wird unter dem touristischen Angebot aber auch die Gesamtzahl aller touristischen Leistungen einer Kategorie (z.B. Hotel) oder eines geographischen Raumes verstanden.

Destination

Als eine Destination wird im Tourismus ein Raum (großes Hotel, Ort, Region) bezeichnet, den ein oder mehrere Besucher als Ziel der Reise wählen. Die Destination wird aufgrund von bestimmten Attraktivitätsfaktoren aufgesucht und enthält alle für den Aufenthalt erforderlichen Einrichtungen für Unterkunft, Verpflegung sowie Unterhaltung und Aktivitäten zur Beschäftigung. Eine Destination stellt das eigentliche touristische Produkt dar und wird am Markt als eine Wettbewerbseinheit geführt (Keller 1998, S. 47, Bieger 2000, S. 385; Schroeder 2002, S. 81) (siehe auch 2.2.1).

Geschäftsreisende

Unter Geschäftsreisenden werden alle Personen verstanden, die sich aus beruflichen Gründen vorübergehend außerhalb des üblichen

Arbeitsumfeldes aufhalten. Die Finanzierung der Reisen erfolgt durch nicht-private Mittel (Schroeder 2002, S. 144).

Produkt

Das Produkt ist eine Leistung, die zielgerichtet bestimmte Bedürfnisse erfüllt und einen Nutzen erbringt. Im Tourismus bestehen Produkte aus zwei Komponenten: einem physischen Hardwareteil (z.B. Flugzeug, Hotel, Souvenir) und einem Softwareteil (z.B. persönlichem Kontakt, Image, Emotion). Aufgrund einer qualitativen Angleichung der physischen Produktkomponenten werden diese immer austauschbarer. Der Anteil der weichen Produktelemente gewinnt daher zunehmend an Bedeutung (Bieger 2000, S. 391; Schroeder 2002, S. 258).

Produktanpassung

Die Produktanpassung ist die Umgestaltung eines Produktes nach lokalen Gegebenheiten, den Präferenzen oder auch den Sitten des Zielsegments. Eine Produktanpassung findet überwiegend im Zusammenhang mit der Erschließung eines neuen Marktsegments statt. Anhand der Orientierung am Zielsegment und dessen Bedürfnissen werden einzelne Elemente eines bereits vorhandenen Produkts modifiziert. Im Sinne einer Produktanpassung gibt es verschiedene Versionen, einerseits Lokal-, Großgebiets- und Landesversionen, die sich nach den Präferenzen von Endkunden in einem geographischen Raum richten. Andererseits können die Produkte auch für bestimmte Händler, z.B. große Handelsketten, verändert werden (Kotler; Bliemel 1999, S. 649-651) (siehe auch 5).

Touristen

Als Touristen werden temporäre Besucher bezeichnet, die einen Zeitraum von mindestens 24 Stunden bzw. einer Nacht bis hin zu weniger als einem Jahr entfernt von ihrem gewöhnlichen Wohnort verbringen (Schröder 2002, S. 330). Der Aufenthalt kann beruflichen, vergnüglichen oder sonstigen Zwecken dienen. Ausgenommen hiervon sind der Daueraufenthalt sowie ein festes Arbeitsverhältnis in der entsprechenden Destination. Umstritten ist die Ursache des Aufenthaltes zu Studienzwecken. Ein Studium kann als eine Form von Arbeit angesehen werden, auf der anderen Seite aber auch zu freizeitlichen Aspekten eines Gastaufenthaltes gezählt werden (Schroeder 2002, S. 330).

Urlaubsreisende

Unter einem Urlaubsreisenden oder Urlauber werden diejenigen Personen verstanden, die ihre arbeitsfreie Zeit des Jahres oder einen Teil dieser zum privaten Vergnügen an einem anderen Platz als dem gewöhnlichen Aufenthaltsort verbringen. Die Reise dient der privaten Freizeitgestaltung und ist Teil privaten Konsums. Eine Urlaubsreise wird ab einer Dauer von mindestens 4 Tagen verstanden, während Reisen geringerer Dauer als Kurzreisen bezeichnet werden (Freyer 2001, S. 71; Schroeder 2002, S. 351).

VFR-Reisende

Der Begriff VFR-Reisen ist abgeleitet aus dem Englischen "Visiting Friends and Relatives" und meint Besuchsreisen zu Freunden und Verwandten. Unter VFR-Reisenden werden Personen verstanden, deren Hauptmotiv ein Besuch von Freunden und Verwandten ist. Charakteristisch für diese Besuchergruppe ist die Übernachtung in privater Unterbringung (Schroeder 2002, S. 361).

2 Destinationen als touristisches Produkt

In diesem Kapitel werden die theoretischen Grundlagen für die Anpassung einer touristischen Destination dargelegt. Bevor auf die Destination als touristisches Produkt eingegangen wird, sollen als Erstes die besonderen Merkmale von Produkten im Tourismus betrachtet werden. Ausgehend von diesem Ansatzpunkt werden im weiteren Verlauf die Elemente der touristischen Destination näher erläutert. Zusammen mit der Bedeutung von Positionierung und Marke bilden diese Punkte die grundlegende Basis für den weiteren Inhalt der Arbeit.

2.1 Besonderheiten des touristischen Produktes

Das touristische Produkt weist eine Reihe von Eigenschaften auf, die für die Betrachtung des Angebots einer Destination von großer Bedeutung sind. Ein touristisches Produkt ist ein Bündel verschiedener Leistungen, wie z.B. Transport, Beherbergung und Verpflegung. Dieses Leistungsbündel besteht zum größten Teil aus Dienstleistungen. Aus diesem Grund sind für Produkte im Tourismus die Eigenschaften von Dienstleistungen zu beachten. Eine Dienstleistung kann nach den folgenden Kriterien charakterisiert werden:

Immaterialität

Integration des externen Faktors

Simultanität von Produktion und Konsum

Bedeutung des persönlichen Kontakts

Geringe Lagerfähigkeit

Vertrauensgut

Die Erstellung einer Dienstleistung findet in drei Schritten statt. In der ersten Phase wird das Potential, alle benötigten internen Produktionsfaktoren zur Erstellung einer Leistung, bereitgestellt. Die Kapazität zur Leistungserstellung bei Dienstleistungen ist vom Hersteller nur zu einem geringen Grad lagerfähig, da diese bei einer nicht Inanspruchnahme nach relativ kurzer Zeit verfällt. Im zweiten Schritt findet der eigentliche Prozess der Leistungserstellung statt, bei dem der Kunde als unternehmensexterner Faktor mit in den Produktionsprozess einbezogen wird. Der Kunde muss überwiegend zum Ort der Leistungserstellung kommen, um diese in

18

Anspruch nehmen zu können. Schon während der Produktion wird die Leistung vom Kunden gleichzeitig konsumiert. Hierbei erfolgt ein persönlicher Kontakt zwischen Kunde und Hersteller, der auf den Erfolg des Erstellungsprozesses große Bedeutung ausübt. Als dritte und letzte Phase folgt das Leistungsergebnis, hier ist die Immaterialität von zentraler Bedeutung. Bei der Inanspruchnahme einer Dienstleistung wird nicht oder nur zu einem geringen Grad Eigentum übertragen. Dieses bedeutet, dass die Leistung für den Kunden nicht greifbar ist. Aus diesen Eigenschaften ergibt sich, dass eine Dienstleistung ein Gut des Vertrauens ist, das weder vor dem Kauf getestet, noch nach dem Kauf zurückgegeben werden kann.

Durch die Eigenschaften von Dienstleistungen, insbesondere dem Einbezug des externen Faktors und der großen Bedeutung des persönlichen Kontakts, kann die Qualität der touristischen Produkte nur aus Sicht der Kunden beurteilt werden. Die Qualität spiegelt sich in der Zufriedenheit der Kunden wider. Ausschlaggebend für die Beurteilung der Qualität sind die Erwartungen des Kunden an das Produkt im Bezug auf die Erstellung und das Ergebnis der Leistungen. Von Bedeutung ist hier insbesondere der Prozess der Leistungserstellung, an dem der Kunde aktiv teilnimmt. Dieser wird beeinflusst von dem Auftreten und der Kompetenz des Personals mit dem der Kunde während des Prozesses in Kontakt tritt (Kreilkamp 1998, S. 327).

Für das touristische Produkt kommen ergänzend zu den Eigenschaften von Dienstleistungen weitere Charakteristika hinzu. Nach Freyer sind weitere Besonderheiten des touristischen Produkts die Abstraktheit der Komponenten Zeit, Raum, Subjekt, der große Einfluss des Zusatznutzens auf die Kaufentscheidung sowie die Kombination aus Dienstleistungen und Gegebenheiten in der Destination (1995, S. 114). Dadurch weisen die Produkte im Tourismus verschiedenartige Formen bei Ausgestaltung von Reisedauer, Zielgebieten sowie den Motiven und Erwartungen der Zielgruppe auf. Touristische Produkte bestehen aus einer Kombination von "... erstellten Dienstleistungen und vorgefundenen natürlichen, baulichen, kulturhistorischen und sonstigen Gegebenheiten der Destination" (Freyer

1995, S. 114). Zur Erfüllung der Kundenbedürfnisse ist eine attraktive Zusammenstellung des touristischen Angebotes notwendig.

Das Angebot kann hierzu in zwei Ebenen unterteilt werden: die Kern- und die Zusatzleistungen. Das Kernprodukt ist die Erfüllung der versprochenen Leistung und wird vom Konsumenten meist nur als Grundlage zur Erfüllung der Wünsche wahrgenommen, wie z.B. der Transport von China nach Hamburg oder eine Unterkunft. Der Zusatznutzen touristischer Produkte wird von den Kunden individuell erfasst und ist oft sehr eng mit den Reise- und Urlaubsmotiven verbunden. Während das touristische Produkt in Wirklichkeit aus einer Vielzahl unterschiedlicher Leistungen von verschiedenen Anbietern besteht, ist aus Sicht der Kunden eine Reise oder ein Aufenthalt in einem Zielgebiet ein einziges Produkt.

2.2 Die touristische Destination

Destinationen fallen im Tourismus eine zentrale Rolle zu, da sich die touristische Nachfrage hauptsächlich nach den Zielgebieten richtet (Roth; Schrand 2003, S. 46). Aus diesem Grund kann eine Destination auch als das eigentliche Produkt im Tourismus angesehen werden. Die touristische Destination bildet den zentralen Ansatzpunkt dieser Arbeit. Zuerst erfolgt eine genauere Erläuterung der Sichtweise von Destinationen sowie den Elementen des touristischen Angebots. Weiterhin wird eine nähere Betrachtung der touristischen Dienstleistungskette von Destinationen sowie auch der Akteure vorgenommen.

2.2.1 Sichtweisen einer Destination

Eine Destination steht übergeordnet für ein Bündel an Leistungen in einem abgegrenzten geographischen Raum, der die Bedürfnisse und Wünsche der Nachfrage abdeckt. Dabei ist zu beachten, dass eine Destination aus Sicht der Nachfrage zu definieren ist. Hierbei sind die politischen Grenzen weniger ausschlaggebend, viel mehr werden Destinationen überwiegend nach geographischen Kriterien bestimmt. Je nach Gästesegment gibt es unterschiedliche Abgrenzungen einer Destination (siehe Abb. 1).

Abb. 1: Begriff der Destination aus Sicht des Gastes

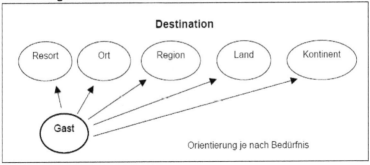

(Quelle: Bieger 2002, S. 57)

Es ist zu beobachten, dass je weiter ein Reiseziel entfernt liegt, desto weiträumiger fällt die Definition einer Destination aus (Bieger 2002, S. 55-58; Luft 2001, S. 64). Ein und dasselbe Zielgebiet kann von den Gästen auf eine unterschiedliche Weise gesehen werden. Dieses ist abhängig von den Gründen und Motiven der Reisenden. Eine Destination besteht aus natürlichen und von Menschen gemachten Attraktionen (siehe auch 2.2.2), die je nach Interessenlage für die Besucher eine unterschiedliche Gewichtung besitzen können. Der Begriff "Destination" steht für verschiedene Arten und Größen von Reisezielen sowie allgemein für einen großen Teil der touristischen Produkte. In diesem Sinne können die Leistungen in der Destination für einzelne Nachfragesegmente unterschiedlich kombiniert und angeboten werden.

Von den Akteuren wird die Destination als eine strategische Wettbewerbseinheit am Markt gesehen. Wichtig ist hierbei ein gemeinsamer Marktauftritt, d.h. die Koordinierung und einheitliche Vermarktung der einzelnen Aktivitäten der Anbieter. Dieses ist meist die Aufgabe einer zentralen, übergeordneten Tourismusorganisation. Der Besuch in der Destination soll für den Besucher einen möglichst hohen Nutzen aufweisen und gegenüber den Wettbewerbsregionen positiv hervorgehoben werden. Um dieses zu erreichen ist eine konsequente Kundenorientierung wichtig. Nur auf diese Weise kann die Wettbewerbsfähigkeit aufrecht erhalten und eine erfolgreiche Existenz langfristig gesichert werden (Bieger 2002, S. 157).

2.2.2 Angebotselemente

Für die touristische Attraktivität einer Destination ist eine Vielzahl von Elementen ausschlaggebend. Nach Kaspar wird die touristische Nachfrage in einer Region vor allem durch die natürlichen Gegebenheiten vor Ort, wie Verkehrslage, Einrichtungen und Veranstaltungen ausgelöst (1996, S. 70). Generell kann das touristische Angebot einer Destination in zwei wesentliche Komponenten, das ursprüngliche und das abgeleitete Angebot, aufgeteilt werden (Kaspar 1996, S. 65). Die ursprünglichen Angebotselemente beinhalten klimatische, landschaftliche, historische und ökonomische Gegebenheiten des Gebiets (siehe Abb. 2). Die ursprünglichen Elemente einer Destination, wie z.B. Traditionen und Gastfreundschaft der Bevölkerung, beeinflussen Richtung und Gestalt des Tourismus, trotzdem besteht nur ein indirekter Bezug zu der Tourismusindustrie (Kasper 1996, S. 65). Während Kanada bei Naturliebhabern für die Schönheit und Ursprünglichkeit der Landschaft berühmt ist, tut sich Deutschland besonders durch eine reichhaltige Kulturgeschichte hervor. Hier wird der Einfluss von den ursprünglichen Gegebenheiten einer Destination auf das touristische Angebot deutlich.

Das abgeleitete Angebot hingegen umfasst zusätzliche Angebote und Leistungen, die speziell für den Tourismus erstellt werden. Dieses sind beispielsweise Einrichtungen zur Steigerung der Attraktivität für den Aufenthalt und die Angebotsvermittlung für Gäste, wie Wanderwege und Zimmervermittlungen. Institutionen, die speziell für den Aufenthalt der Besucher zur Verfügung stehen, lassen sich in die touristische Infra- und Suprastruktur unterteilen. Alle Maßnahmen der Ver- und Entsorgung, die über die Leistungen für die Einwohner hinausgehen, gehören zu der touristischen Infrastruktur. Die eigentliche touristische Infrastruktur umfasst z.B. Attraktionen oder Informationszentren sowie die touristische Suprastruktur. Die touristische Suprastruktur beinhaltet Beherbergung und Verpflegung, die für Touristen von besonderer Bedeutung sind (Bieger 2004, S. 153-154) (siehe Abb. 2).

Die Unterteilung ist nicht ganz überschneidungsfrei, da die vom Gast empfundenen Attraktivitätsfaktoren einem stetigen Wandel unterliegen und Elemente des ursprünglichen Angebots die Aufgabe des abgeleiteten Angebots übernehmen, wie z.B. die kulturellen Einrichtungen der

Musicaltheater in Hamburg (Mundt 1998, S. 285-286). Es gibt demnach fließende Grenzen zwischen den einzelnen Bereichen.

Abb. 2: Das touristische Angebot

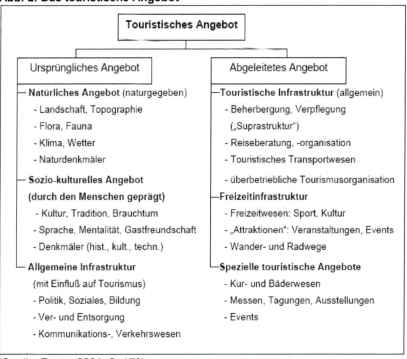

(Quelle: Freyer 2001, S. 179)

Des Weiteren ist zu betonen, dass einzelne Faktoren des ursprünglichen und abgeleiteten Angebots je nach Reisemotiv unterschiedliche Bedeutung aufweisen können. Bei einem Wanderurlaub sind beispielsweise die Elemente Natur und Sport wichtiger als kulturelle Einrichtungen (vgl. Luft 2001, S. 29). Insgesamt besteht der Aufenthalt für den Gast zum großen Teil aus einer Aneinanderreihung von Dienstleistungen.

2.2.3 Dienstleistungskette

Die Destination kann aus Sicht des Gastes als eine Abfolge von Dienstleistungen dargestellt werden, zu der alle vom Gast in Anspruch genommenen Leistungen im Zielgebiet gehören. Bieger definiert die Dienstleistungskette in einer Destination als das eigentliche touristische Produkt (2002, S. 157). Der Gast nimmt nicht die einzelnen Dienstleistungen getrennt von einander wahr, sondern das Leistungsbündel als Gesamtheit stellt den Aufenthalt in der Destination dar. Aus welchen Elementen das touristische Produkt für einen Gast in einer Destination besteht, ist individuell von den Motiven und Beweggründen der Reise abhängig. Meist sind jedoch die Elemente Anreise, Bezug von Informationen vor Ort, Verpflegung, Beherbergung, Transport, Attraktionen, Unterhaltung und Abreise bei dem Aufenthalt in einem Zielgebiet enthalten (siehe Abb. 3). In jeder Stufe der Dienstleistungskette gibt es verschiedene Möglichkeiten des Bezugs von Dienstleistungen. Die Anreise kann z.B. mit den Flugzeug, Bahn, Bus oder Auto erfolgen, unterschiedliche Dienstleistungen, die wiederum von verschiedenen Unternehmen in Anspruch genommen werden können.

Abb. 3: Dienstleistungskette einer Destination

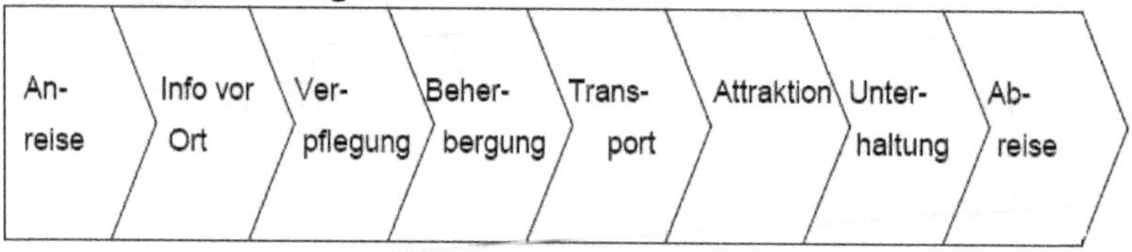

An-reise	Info vor Ort	Ver-pflegung	Beher-bergung	Trans-port	Attraktion	Unter-haltung	Ab-reise

(Quelle: eigene Darstellung in Anlehnung an Bieger 2002, S. 59)

Das touristische Produkt einer Destination entsteht durch die Zusammenarbeit vieler Unternehmen, die überwiegend relativ unabhängig voneinander agieren. Die Leistungen der Dienstleistungskette können von öffentlichen Stellen oder privaten Unternehmen erbracht werden. Für die Qualität des touristischen Produkts ergibt sich daraus, dass diese je nach Dienstleistung und Unternehmen sehr unterschiedlich ausfallen kann. Da der Kunde alle Dienstleistungen jedoch als ein Gesamtprodukt ansieht, folgt daraus, dass sich mangelnde Qualität eines Anbieters auf die Beurteilung der gesamten Dienstleistungskette auswirkt. Ein Ausgleich von

Qualitätsunterschieden ist nicht möglich, bedeutende Mängel eines Anbieters können nicht durch eine andere besonders hohe Teilqualität ausgeglichen werden (Rudolph 1999, S. 19-20). Daher ist eine gute Kooperation zwischen den Leistungsträgern zur Gewährleistung von hoher Qualität wichtig. Jedoch ist dieses eine sehr komplexe Aufgabe, die in den meisten Destinationen Defizite aufweist.

Beispielhaft für die optimale Abstimmung der einzelnen Produktbausteine können einige asiatische Resorthotels und amerikanische Skidestinationen angeführt werden. Die Elemente der Dienstleistungskette werden den segmentspezifischen Bedürfnissen entsprechend optimal auf einander angepasst. Allerdings liegt der Unterschied zu den meisten Destinationen darin, dass diese Vorzeigeobjekte im Besitz einer einzigen Gesellschaft sind. Hierdurch können die Vorteile genossen werden, dass kaum Interessenkonflikte zwischen den unterschiedlichen Anbietern existieren und das Marketingbudget gebündelt werden kann (Bieger 2002, S. 157f). In den meisten Destinationen beeinflusst eine Vielzahl von Akteuren mit unterschiedlichen Interessen das touristische Angebot.

2.2.4 Akteure

Das touristische Produkt in einer Destination entsteht durch das Zusammenspiel aus einer Reihe von Akteuren. Diese können in öffentliche Stellen, private Unternehmen und die Anwohner der Region unterteilt werden. Jeder Akteur innerhalb dieser Gruppen verfolgt bestimmte Ziele und Interessen, die sich in ihrem Handeln niederschlagen und durchaus sehr verschiedenartig sein können.

Öffentliche Stellen, die sich am touristischen Geschehen der Destination beteiligen, sind z.B. staatliche Einrichtungen, wie Behörden oder politische Institutionen. Der Tourismus ist auf eine grundlegende Infrastruktur vor Ort angewiesen, die überwiegend von der öffentlichen Hand zur Verfügung gestellt wird. Hierunter sind teilweise auch öffentliche Investitionen in Schwimmbäder oder Museen zu verstehen, die für die Privatwirtschaft ungenügende Profite abwerfen, für das touristische Angebot aber von Bedeutung sind. Auch können Tourismusorganisationen teilweise in diese

Kategorie eingeordnet werden, da diese u.a. durch öffentlichen Zuschüsse gefördert werden.

Die meisten touristischen Leistungsträger in einer Destination sind im Bereich der privaten Unternehmen zu finden. Hier sind u.a. Betreiber von Hotels, Restaurants und Attraktionen sowie auch Transportunternehmen und der Einzelhandel zu nennen. Diese Gruppe der Akteure verfolgt in erster Linie wirtschaftliche Interessen, die auf betrieblichen Kennziffern, wie Erwirtschaften von Gewinn, Erhöhung des Marktanteils, Kostenelementen sowie auf nicht materiellen Komponenten, wie z.B. Image, beruhen. Auch Tourismusorganisationen können an dieser Stelle angeführt werden, da viele aus einer Mischform von privaten und öffentlichen Beteiligungen (Private-Public-Partnership) bestehen und daher auch wirtschaftliche Ziele verfolgen.

Fremdenverkehrs- und Tourismusvereine nehmen eine herausragende Bedeutung in einer Destination ein, daher soll auf sie an dieser Stelle näher eingegangen werden. Die Tourismusorganisation übernimmt in einer Destination wichtige Funktionen. Neben der Vertretung und Beratung der Leistungsträger vor Ort liegt auch das Marketing für die touristische Region im Aufgabenbereich des Tourismusverbands. Außerdem versorgt die Tourismusorganisation Gäste mit Informationen und koordiniert das Angebot der Region. Ziele einer Tourismusorganisation sind vor allem die Steigerung der Attraktivität und Bekanntheit einer Destination.

Weiterhin prägen auch die Bewohner der Destination das touristische Angebot. Grundlegende Eigenschaften einer Region werden von der Bevölkerung beeinflusst. Durch Tradition und Kultur geprägte Gegebenheiten sowie die Mentalität der Anwohner stellen Attraktivitätsfaktoren einer Destination dar. Ebenso ist Gastfreundschaft für die Wahl eines Zielgebiets oftmals von entscheidender Bedeutung. Die Einwohner sind auf unterschiedliche Weise an dem Aufenthalt des Gastes beteiligt und üben daher einen direkten Einfluss auf die Gestaltung und Qualität des touristischen Angebots aus. Bewohner der Destination können, beispielsweise als Mitarbeiter eines Leistungsträgers beteiligt sein.

Für die Einwohner kann die Tourismusindustrie z.B. die Schaffung und Sicherung von Arbeitsplätzen, die Steigerung der Attraktivität der Region oder aber auch eine Belastung in Form beispielsweise von Verkehrschaos bedeuten. Unmut großer Bevölkerungsgruppen gegenüber touristischen Maßnahmen kann sich negativ auf das Verhalten der Einwohner gegenüber Touristen und somit auch auf die Qualität des Aufenthalts auswirken. Es gilt daher nicht nur die Interessen der privaten Unternehmen und der öffentlichen Stellen zu berücksichtigen, sondern auch den Einwohnern die Möglichkeit zu geben, sich an der Gestaltung des touristischen Angebots beteiligen zu können.

Aufgrund des zunehmenden Wettbewerbs von Destinationen wird deutlich, dass sich allein gut organisierte Zielgebiete auf dem Markt behaupten werden. Die übergreifende Tourismusorganisation muss innerhalb der Destination für die Verbesserung des Angebots sorgen, während nach außen eine klare Positionierungsstrategie verfolgt werden muss (Luft 2001, S. 64).

2.3 Bedeutung von Positionierung und Marke

Bei einer zunehmenden Wettbewerbsintensivität zwischen touristischen Destinationen wird es immer wichtiger, diese zu differenzieren, um eine positive Alleinstellung gegenüber seinen Konkurrenten zu erlangen. "Jede angebotene Leistung besitzt im subjektiven Blickwinkel der Kunden eine bestimmte Position am Markt" (Haedrich; Tomczak 1996, S. 136). Das Marketing geht davon aus, dass der Konsument stets das Produkt kauft, das seine Bedürfnisse am Besten zu erfüllen verspricht. Daher wird versucht Produkte so zu gestalten, dass diese für den Kunden einen möglichst großen Nutzen stiften. Durch ein einzigartiges Leistungsversprechen soll beim Kunden eine Präferenz für das eigene Produkt gegenüber den Produkten der Konkurrenten hervorgerufen werden. Bei Destinationen hebt die Positionierung die Besonderheiten des Zielgebiets hervor. Daher sollte diese zukunftsorientiert gestaltet und den wandelnden Bedürfnissen der Konsumenten angepasst werden, trotzdem aber Kontinuität in der Art der Positionierung aufweisen, um so die Attraktivität der Destination langfristig zu sichern.

Anhand der Positionierung soll dem Gast ein wirklicher, möglichst einzigartiger Nutzen versprochen werden, der dem Produkt eine "Unique Selling Proposition" (USP) gegenüber Wettbewerbern verleiht. Hierzu müssen die folgenden Kriterien beachtet werden, denn die Positionierung soll:

"relevante Bedürfnisse bzw. Probleme einer bestimmten, ausreichend großen Kundengruppe mit einem maßgeschneiderten Angebot in der subjektiven Wahrnehmung der Kunden dauerhaft besser als irgendjemand anders (z.B. Konkurrenten, die Kunden selbst) zufrieden stellen bzw. lösen" (Haedrich; Tomczak 1996, S. 133).

Die klassische Positionierung kann einerseits durch die Orientierung an den Erwartungen der Kunden bezüglich des Angebotes oder andererseits durch die Anpassung des erwarteten Nutzens der Konsumenten an die angebotene Leistung gestaltet werden (Haedrich; Tomczak 1996, S. 140). In der Praxis werden die beiden Herangehensweisen meist miteinander kombiniert. Mit Hilfe der Marktforschung wird versucht die Idealvorstellung der Kunden von einem Produkt herauszufinden, um diese beiden Komponenten möglichst nah aneinander anzupassen (siehe Abb. 4).

Aufgrund des zunehmenden Wettbewerbs, reicht klassische Positionierung jedoch meist nicht mehr aus. Gleichartige Produkte weisen durch die Orientierung an den explizit geäußerten Bedürfnissen der Kunden immer geringere Unterschiede auf und werden somit für den Kunden austauschbar. Deswegen gewinnt die ergänzende Positionierungsstrategie immer mehr an Bedeutung. Anhand der aktiven Positionierung wird versucht, neue und dem Kunden bisher unbewusste Eigenschaften für Produkte zu entwickeln (siehe Abb. 4). Die Eigenschaften müssen einen wichtigen Nutzen für den Konsumenten darstellen, also auf Annahmen über den zukünftigen Problemlösungsbedarf beruhen.

Abb. 4: Klassische und aktive Positionierung

Ausgangs- punkt	Mittel		Ziel

| Artikulierte
Kundenwünsche | Markt-
forschung | Bündel von
Marketing-
Maßnahmen | Gewinnerzielung
über dauerhafte
Zufriedenstellung
der Kunden |

a) klassische Positionierung

| Latente Kunden-
Wünsche

Problemlösungs-
ideen | Markt-
forschung | Bündel von
Marketing-
Maßnahmen | Gewinnerzielung
über dauerhafte
Zufriedenstellung
der Kunden |

b) aktive Positionierung

(Quelle: Haedrich, Tomczak 1996, S. 143)

Der "Königsweg" der Positionierung ist die Orientierung an den externen Bedürfnissen der Kunden und den spezifischen Ressourcen des Unternehmens. Auf diese Weise kann eine einzigartige Positionierung aufgebaut und somit ein dauerhafter Vorteil gegenüber den Wettbewerbern erlangt werden. Abhängig von der Marktsituation sollte jedoch eher ein Fokus auf der klassischen oder der ergänzenden aktiven Positionierung liegen. Bei gesättigten Märkten gewinnt die aktive Positionierung zunehmend an Bedeutung, während in jungen Märkten anhand der klassischen Positionierung eine einzigartige positive Alleinstellung erlangt werden kann (Haedrich; Tomczak 1996, S. 132-150).

Des Weiteren kann die Positionierung nach präferenz- oder preisorientierter Gestaltung unterschieden werden. Die Präferenzbildung beruht generell auf dem Zusatznutzen, den das Produkt dem Kunden für einen gehobenen Preis bietet (Haedrich 1998a, S. 7-9). Hingegen wird die Preisorientierung über die Deckung des Grundnutzens zu einem möglichst geringeren Preis gebildet. Der mittlere Bereich zwischen der Präferenz- oder

Preisorientierung weist eine unscharfe Positionierung auf, die weder in besonderer Weise auf die Gästeerwartungen eingeht, noch die Erfüllung des Grundnutzens zu einem günstigeren Preis anbietet.

Bei der Positionierung von Destinationen ergibt sich in der Praxis eine Positionierungshierachie: "Die Positionierung eines Kontinents beeinflußt die Position der dazugehörigen Länder als touristische Zielgebiete" (Haedrich 1998a, S. 7). Die Positionierung der Länder nimmt wiederum Einfluss auf Städte und Regionen innerhalb des Landes. In erster Linie ist die Positionierung jedoch auf die Bedürfnisse der Zielgruppe abzustimmen sowie auch mit den Akteuren in der Region. Bei touristischen Destinationen wird aufgrund der Fülle von Leistungsangeboten gerne der Begriff "vielfältig" in die Positionierung aufgenommen, da dieser versucht möglichst viele Aspekte mit einzubeziehen. Hierdurch wird die Positionierung aus Sicht der Kunden unspezifisch und austauschbar (Kern 2001, S. 33-37). Die Positionierung kann für unterschiedliche Märkte verschiedenartig gestaltet werden. Das Ziel einer Positionierungsstrategie ist es, dem Konsumenten eine klare Vorstellung über die angebotene Leistung zu vermitteln (Bieger, 2002, S. 186).

Die Markenpolitik und die Positionierung sind in der Produktpolitik eng miteinander verknüpft. Eine klare Positionierung der Destination ist die Voraussetzung für den erfolgreichen Aufbau einer Marke, die im Destinationsmanagement zunehmend an Bedeutung gewinnt (Bieger 2002, S. 188). Markenpolitik bedeutet das Kennzeichnen von Produkten für den Kunden, um diese unternehmensspezifisch wieder erkennen zu können. Eine Marke kann definiert werden als Symbol, Zeichen, Logo, Name, dass in der Psyche des Konsumenten ein bestimmtes Bild über die Eigenschaften des Produktes hervorruft.

Besonders im Tourismus weisen Marken ein großes Potential auf, da diese helfen, ein Vertrauensverhältnis zwischen Kunden und Produkt bzw. Unternehmen aufzubauen. Aufgrund des als hoch empfundenen Kaufrisikos durch die Eigenschaften touristischer Produkte, wie Immaterialität und fehlender Greifbarkeit, besitzt der Aufbau von Vertrauen große Bedeutung.

Das Produkt kann für den Kunden fassbarer gestaltet werden und einen unverwechselbaren Wert vermitteln. Auf diese Weise kann die Marke positive Vorteile für die Wahrnehmung eines Produkts bewirken. Die Voraussetzung für den Aufbau einer Destinationsmarke ist die Abstimmung und Koordination der einzelnen Leistungsträger. Das mit der Marke vermittelte Leistungsversprechen gilt für alle Leistungsträger, die an der Erstellung des Destinationsprodukts beteiligt sind.

2.4 Zusammenfassung

Das touristische Produkt besteht aus einem Bündel von Dienstleistungen, die jeweils von unterschiedlichen Anbietern erstellt werden. Zu beachten sind die Eigenschaften von Dienstleistungen sowie weitere Besonderheiten, die das touristische Produkt kennzeichnen. Von Bedeutung für die weitere Arbeit ist die Kombination aus Dienstleistungen und Gegebenheiten in der Destination, die das Kernelement eines touristischen Angebots darstellen. Eine touristische Destination sollte aus Sicht der Gäste definiert werden und kann je nach Entfernung des Reisenden eine unterschiedliche Größe aufweisen. Dabei wird das Zielgebiet umso größer, je weiter der Heimatort des Gastes entfernt ist. Von Seiten der Anbieter stellt die Destination eine strategische Wettbewerbseinheit dar. Es gilt das Zielgebiet aus einem Bündel verschiedenartiger Leistungen als Gesamtangebot erfolgreich am Markt zu platzieren. Hierbei ist nicht nur das ursprüngliche und das abgeleitete Angebot einer Destination zu berücksichtigen, sondern auch die Interessen der einzelnen Akteure, wie öffentliche Stellen, private Unternehmen und Einwohner, die das Zielgebiet als touristisches Produkt beeinflussen. Die Vielzahl an möglichen touristischen Leistungen in einer Destination wird von den Gästen als ein Gesamtprodukt aufgefasst und lässt sich in Form einer Dienstleistungskette darstellen.

Aufgrund der Wettbewerbsintensivität zwischen touristischen Destinationen wird es immer wichtiger, das Angebot einer Destination von anderen abzuheben und eine positive Alleinstellung gegenüber den Konkurrenten zu erlangen. Durch verschiedene Strategien soll das Angebot in den Augen der Kunden so positioniert werden, dass dieses einen einzigartigen Nutzen aufweist, der die Bedürfnisse des Konsumenten bestmöglich erfüllt. In engem Zusammenhang mit der Positionierung steht die Marke. Destinationsmarken gewinnen aufgrund der Charakteristika von touristischen Produkten zunehmend an Bedeutung. Allem zugrunde gelegt werden müssen jedoch die Bedürfnisse der relevanten Zielgruppe.

3 Nachfrageanalyse- Chinesen als Reisende

Die Anpassung der Produkte sollte sich an den Vorlieben der angestrebten Käuferschicht orientieren. Hierfür ist es von Bedeutung die Eigenschaften der Kunden zu kennen. Diesbezüglich wird die relevante Käuferschicht im folgenden Anschnitt genauer betrachtet. Nach einer kurzen Darstellung von Inhalt und Vorgehensweise der Marktsegmentierung wird die Zielgruppe der chinesischen Touristen in Deutschland näher beschrieben.

3.1 Grundlagen der Marktsegmentierung

Für die gezielte Bearbeitung eines Marktes bedarf es einer Abgrenzung und Aufteilung des Gesamtmarktes in ein oder mehrere relevante Abnehmergruppen. Die Bedürfnisse der Kunden auf dem Gesamtmarkt sind zu zahlreich und verschiedenartig, als dass ihnen durch ein einheitliches Angebot gerecht zu werden ist. Deshalb wird der heterogene Markt durch die Marktsegmentierung in eine überschaubare Anzahl homogener Teilmärkte gegliedert. Die Marktsegmentierung dient als Basis für die Ableitung geeigneter Bearbeitungsmaßnahmen mit dem Ziel einer besseren Erfüllung der Kundenwünsche.

Durch die Auswahl einer bestimmten Kombination von Segmentierungskriterien wird versucht eine Käufertypologie aufzustellen, um effektive Ansatzpunkte für den Einsatz der Marketinginstrumente zu erhalten. Laut Bieger sollten Marktsegmente nach klaren Merkmalen getrennt werden können, von der Marktforschung erfassbar sein und eine lohnende Größe aufweisen (2000, S. 192). Während bei gesättigten Märkten eine sehr starke Segmentierung erforderlich ist, reicht eine recht grobe Segmentierung bei jungen Märkten mit einem starken Wachstum (Freter 1998, S. 232-259; Bieger 2000 192-194).

Der chinesische Reisemarkt nach Europa ist angesichts der Entwicklung der Volksrepublik China und den strengen Auflagen für Auslandsreisen seitens der Regierung noch ein sehr neuer Markt, der sich aber eines starken Wachstums erfreut. Das angestrebte Zielsegment besteht aus einem großen und bisher überwiegend ungesättigten Potential an Reisenden mit dem

Wunsch nach Europa zu fahren. Um die touristischen Produkte auf die Erwartungen dieser Kundengruppe anzupassen, ist eine Segmentierung nach regionaler Herkunft, Alter etc. notwendig (Arlt o. J., S. 20). Im Folgenden werden die aus China kommenden Besucherströme nach Deutschland anhand von demographischen, kulturellen und reiseverhaltensorientierten Merkmalen unterteilt. Auf diese Weise können geeignete Maßnahmen ergriffen werden, um das touristische Angebot der Hansestadt Hamburg an die Bedürfnisse chinesischer Reisegruppen anzupassen.

3.2 Demographische Abgrenzung

Die Marktsegmentierung wird in Form von mehreren Bestimmungsfaktoren vorgenommen, da ein Segment anhand eines Kriteriums nur ungenügend zu beschreiben ist. Zunächst wird die angestrebte Kundenschicht nach geographischen und sozialen Kennzeichen untersucht, die unter demographischen Merkmalen einer Zielgruppe zusammengefasst werden können. Neben Herkunft, Alter und Geschlecht werden auch Bildung, Beruf und Einkommen als wichtige Kriterien erachtet sowie die Arbeitsbedingungen, da diese direkten Einfluss auf die Nachfrage ausüben.

3.2.1 Herkunft

Die Volksrepublik China stellt mit einer Einwohnerzahl von 1,3 Mrd. Menschen ein sehr großes Potential für die Tourismusindustrie dar, denn es ist das bevölkerungsreichste Land der Erde. Die Bewohner der Volksrepublik China leben ungleichmäßig über das drittgrößte Land der Welt verteilt. Die Hälfte aller Chinesen wohnt in Städten, dabei bevölkern 40% der chinesischen Einwohner die Regionen um die großen Metropolen Peking (Beijing), Shanghai und Kanton (Guangzhou) (DZT-China 2004, S. 3-6). Ein Großteil der Bevölkerung lebt im Osten entlang des Küstengebiets in China. Dort steigt die Einwohnerdichte auf bis zu 1.000 Anwohnern pro km^2 an, während im Westen des Landes weniger als zehn Einwohner einen km^2 besiedeln.

Die größte Metropole der Volksrepublik China ist Shanghai mit 15 Mio. Einwohnern, gefolgt von Beijing (13 Mio.). Weitere Millionenstädte sind unter andern Tianjin (10 Mio.), Hongkong/ Macao (8 Mio.) und Guangzhou mit 7 Mio. Bewohnern (DZT-China 2004, S. 4). Die Stadtbevölkerung der großen chinesischen Metropolen weisen durch die hohe Bevölkerungsdichte und gute Verkehrsinfrastruktur, insbesondere in Bezug auf den Flugverkehr, ein enormes Potential für Auslandsreisen auf.

Die nach Deutschland reisenden Chinesen stammen zum größten Teil aus den drei großen Wirtschaftsmetropolen Shanghai, Beijing und Guangzhou (siehe Abb. 5). An erster Stelle liegt Shanghai mit 24%, gefolgt von Beijing mit 16% und Guangzhou mit 12%. Die übrigen 48% der Besucher stammen aus anderen Regionen Chinas.

Relevant für die weitere Betrachtung sind dabei die Einwohner der Metropolen Shanghai, Beijing und Guangzhou (siehe Anhang 4). Keine Beachtung finden hingegen die Besucher aus Hongkong und Macao, da diese Gebiete im Rückblick auf die historische Entwicklung einen Sonderstatus in der Volksrepublik China einnehmen. Die Sonderstellung von Hongkong und Macao wirkt sich auch auf relevante Merkmale der Bewohner aus, wie Reiseverhalten und --bestimmungen, daher gibt es in der Verhaltensweise sowie den Erwartungen wesentliche Unterschiede zu der übrigen Bevölkerung.

Abb. 5: Herkunft chinesischer Touristen in Deutschland

(Quelle: DZT-China 2005, S. 17)

36

3.2.2 Alter und Geschlecht

Im Jahr 2003 reisten Chinesen im Alter zwischen 25 bis 34 Jahren am häufigsten nach Deutschland (39%), gefolgt von den 35 bis 44 Jährigen (28%). Die Altersklasse von 15 bis 14 Jahren betrug 18%, ältere Besucher wiesen einen geringen Anteil auf (siehe Abb. 6).

Abb. 6: Alter der chinesischen Deutschlandreisenden

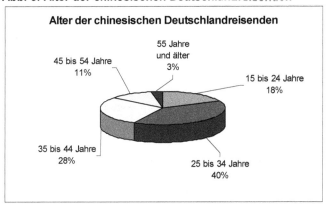

(Quelle: DZT-China 2005, S. 10)

Durchschnittlich betrug das Alter der nach Deutschland reisenden Chinesen 35 Jahre. Zu beachten ist, dass der Anteil der älteren Bevölkerungsschicht in China zunimmt, das u.a. auf die Ein-Kind-Politik in den Städten zurückzuführen ist.

Der Großteil der chinesischen Deutschlandtouristen ist männlichen Geschlechts. Dieses ist auf den hohen Anteil (47%) von Geschäftsreisenden zurückzuführen, da es sich hier fast ausschließlich um Männer handelt. Bei den chinesischen Touristen in Deutschland sind Männer mit einem Anteil von 64% vertreten, während Frauen 36% der Reisenden ausmachen. Bei allen Auslandsreisen der Chinesen insgesamt hält sich der Anteil von Männern (52%) und Frauen (48%) hingegen fast die Waage.

3.2.3 Bildung und Beruf

Im Jahr 2003 verfügten die ins Ausland reisenden Chinesen zu 73% über ein hohes Bildungsniveau. Bei Europareisenden erhöhte sich der Anteil auf 87% und die nach Deutschland reisenden Chinesen wiesen zu 90% eine überdurchschnittlich hohe Bildung auf. Die übrigen 10% der chinesischen Deutschlandreisenden verfügten über ein mittleres Bildungsniveau (DZT-China 2005, S. 10).

Die chinesischen Touristen in Deutschland sind überwiegend wohlhabende Geschäftsleute oder genießen eine hohe Position im öffentlichen Leben (Bayrischer Hotel- und Gaststättenführer e.V. o. J., S. 38). Generell entstammen die ins Ausland reisenden Chinesen gehobenen Berufsgruppen, unter ihnen sind z.B. Manager, Experten, Selbstständige und Kaufleute zu finden sowie Personen, die Tätigkeiten im gehobenen Management bei ausländischen Firmen ausüben (PricewaterhouseCoopers 2001, S. 10). Bei den Urlaubsreisenden sind eine Großzahl an Lehrern, Ärzten und Ingenieuren zu finden (Verhelst 2003, S. 49). Daraus lässt sich schließen, dass Auslandsreisen überwiegend ein Privileg der gehobenen Bevölkerungsschicht darstellt.

3.2.4 Einkommen und Arbeitsbedingungen

Das Einkommen und die Kaufkraft sind in China regional sehr unterschiedlich verteilt. Während im Westen der Volksrepublik China das Einkommen oft nicht einmal bei 1.000 Euro pro Einwohner liegt, ist das Bruttosozialprodukt (BSP) in den süd- und östlichen Küstengebieten teilweise mit denen in Portugal, Griechenland oder Südkorea vergleichbar. Aufgrund der Ballung an Wirtschaftszentren liegt hier das durchschnittliche Einkommensniveau sehr viel höher. In den Regionen um Beijing, Shanghai und Guangzhou wird der größte Anteil des chinesischen Bruttoinlandsprodukt (BIP) erwirtschaftet. Das anhaltende Wirtschaftswachstum in diesen Gebieten lässt eine neue Mittelschicht mit über einer Millionen Chinesen pro Jahr heranwachsen.

Bis heute verfügt aber nur ein kleiner Anteil von ca. 5% der chinesischen Bevölkerung über ein Einkommen, das eine Reise ins Ausland ermöglicht. Die Anzahl der als US-$-Millionäre oder Milliardäre unter den Chinesen wird auf ca. 0,9% der Bevölkerung geschätzt (DZT-China 2005, S. 5-11). Chinesen, die eine Reise nach Deutschland unternehmen, weisen in der Regel ein sehr hohes (65%) oder gehobenes (29%) Einkommen auf. Nur wenige Chinesen mit mittlerem Einkommen (6%) leisten sich im Jahr 2003 eine Reise in die Bundesrepublik Deutschland (DZT-China 2005, S. 10).

Neben der Lockerung von staatlichen Regulierungen besitzt auch die Entwicklung der Arbeitsbedingungen einen begünstigenden Einfluss auf den Reisemarkt. Seit 1995 gibt es in der Volksrepublik China offiziell eine Arbeitswoche von 5 Tagen. Eine Mindesturlaubszeit ist bisher jedoch gesetzlich nicht geregelt. Bei Behörden und staatlichen Institutionen liegt die Urlaubszeit zwischen 7 und 14 Arbeitstagen, bei ausländischen Unternehmen beträgt die Urlaubszeit etwa 15 Tage im Jahr. Im Jahr 2000 wurde in China eine spezielle Feiertagsregelung eingeführt, die es den Arbeitnehmern ermöglicht, sich eine zusammenhängende Woche frei zu nehmen. Diese Regelung wird "die drei goldenen Wochen" genannt und ist eine Zeit, die von den Chinesen gerne zum Reisen genutzt wird. Die Feiertage der "goldenen Wochen" sind das chinesische Mondfest, auch Frühlingsfest genannt, das abhängig von Stand des Mondes zwischen Ende Januar und Mitte Februar stattfindet. Dieses Fest wird in China größtenteils für mehrtägige Familienausflüge genutzt. Die Feiertage im Mai, der internationale Tag der Arbeit (1.-3. Mai), und Oktober, der Nationalfeiertag (1.-3. Oktober), bilden hingegen die Hauptsaison für Reisen ins Ausland. Häufig wird zudem für Hochzeitsreisen zusätzlicher Urlaub gewährt. In China arbeiten die Frauen üblicherweise bis zum 55. Lebensjahr, während die Männer mit 60 Jahren in Rente gehen (Nordrhein-Westfalen Tourismus e.V. 2003, S. 5). "Generell verfügt China über eine relativ junge Rentnerschicht, die über ausreichend Freizeit verfügt, um an touristischen Aktivitäten teilnehmen zu können" (Bayrischer Hotel- und Gaststättenverband e.V. o. J., S. 37).

3.3 Kulturelle Segmentierung

Dem Kontakt zwischen Mitarbeiten der touristischen Leistungsträger und den Gästen fällt im Tourismus eine hohe Bedeutung zu. Der persönliche Kontakt ist entscheidend über die Kundenzufriedenheit und besitzt einen großen Einfluss auf den Erfolg oder Misserfolg des Unternehmens im Markt (siehe 2.1). Besonders wichtig für das Verständnis der kulturellen Unterschiede ist eine Vorbereitung der Mitarbeiter, um die Bedürfnisse der chinesischen Gäste möglichst ideal erfüllen zu können. Voraussetzung hierfür ist die Kenntnis von möglichen Unterschieden und Besonderheiten in der Verhaltensweise des Käufersegments.

Die Verhaltensweisen der chinesischen Besucher weisen im Vergleich zu den Gewohnheiten der deutschen Gastgeber große Unterschiede auf. Der richtige Umgang und das Erkennen der Bedürfnisse ist der Schlüssel zum Erfolg, während Unkenntnis häufig zu Schwierigkeiten und Konflikten führt.

3.3.1 Kommunikation

Bei der Kommunikation geht es nicht nur um den Austausch von Informationen, sondern auch um Tonfall, Körpersprache und Sprechpausen, durch die sich die Verhaltensmuster von unterschiedlichen Kulturen und Sprachen ergeben. Insbesondere in diesem Bereich kann es zwischen Gast und Mitarbeiter schnell zu Missverständnissen und Problemen kommen. In China besitzen Beziehungen und Dazugehörigkeit in der Gesellschaft einen höheren Wert als das Individuum an sich. Dieses wirkt sich grundlegend auf die Kommunikation und das Verhalten der Chinesen aus.

Die Beschwerden werden in entschärftem Maße vorgetragen, sind jedoch nicht weniger ernst zu nehmen. Die Chinesen besitzen ein Grundbedürfnis nach Harmonie, aus diesem Grund wird selten Kritik verbal geäußert. Unangenehme Situationen durch das öffentliche zur Schaustellen von Gefühlen, wie beispielsweise Wut, werden vermieden, um seinen Gegenüber nicht in Verlegenheit zu bringen. Das Lächeln hingegen wird von den Chinesen besonders geschätzt und als Freundlichkeit gedeutet.

Im Gegensatz zur deutschen Kultur pflegen die chinesischen Besucher eine indirekte Kommunikation, das heißt die eigentliche Bedeutung wird versteckt angedeutet. Längere Sprechpausen sind durchaus üblich, denn der Effekt des Gesagten auf den Gesprächspartner wird vorher sehr genau abgewogen und durchdacht. Auch fehlender Blickkontakt und Gespräche mit mehreren Personen gleichzeitig gehen auf den indirekten Kommunikationsstil der Chinesen zurück.

Während das Vermeiden von direktem Blickkontakt als Zeichen von Respekt angesehen wird, gehört es ebenso zur chinesischen Kultur mit mehreren Gesprächspartnern zur selben Zeit zu kommunizieren, sodass der Geräuschpegel innerhalb der Gruppen ansteigen kann. Als unhöflich wird ein direktes "Nein" als Antwort auf eine Frage oder Bitte empfunden, lieber wird in der chinesischen Kultur eine Alternative angeboten. Die Worte "Bitte" und "Danke" werden im Chinesischen selten benutzt, stattdessen wird dieses ohne Worte durch ein freundliches Zunicken ausgedrückt. Während negative Gesprächsthemen zu meiden sind, da diese von einem Chinesen als unangenehm empfunden werden, sind bestimmte Bereiche des Privatlebens in China anders definiert als in Deutschland. Gesprächsthemen beispielsweise über: das Einkommen, den Preis der Kleidung oder das Nicht-Verheiratet-Sein, sind in China üblich und gelten nicht als unhöflich. Neben der Sprache unterscheiden sich auch die chinesischen Schriftzeichen grundlegend von den europäischen und auch von anderen asiatischen Zeichen, wie z.B. den Japanischen. Die arabischen Zahlen sind hingegen weitestgehend bekannt (Bayrischer Hotel- und Gaststättenverband e.V. o. J., S. 41).

3.3.2 Umgangsformen

Die Bereitschaft sich Zeit für den Gast zu nehmen und auf seine Bedürfnisse einzugehen, ist in Asien hoch. Dem Gast jederzeit uneingeschränkte Aufmerksamkeit zu schenken, gehört zu der chinesischen Höflichkeit. Die Chinesen sind weiterhin einen schnellen Service gewohnt. Aus diesem Grund werden Wartezeiten als ziemlich unangenehm empfunden. Auch das Zuwenden des Rückens gegenüber einem chinesischen Ansprechpartner wird als unfreundlich gewertet.

Die Begrüßung besitzt in China einen sehr großen Stellenwert. Beim Empfang von chinesischen Gästen wird zunächst das Ranghöchste Mitglied begrüßt und findet dann nach den Hierarchiestufen absteigend statt. Eine Begrüßung in Europa mit einzelnen chinesischen Ausdrücken wird von chinesischen Reisenden als sehr freundlich aufgefasst, denn es zeigt Interesse an der chinesischen Kultur. Aufgrund der geschichtlichen

Beziehungen zwischen Japan und China fühlen sich chinesische Touristen beleidigt, wenn sie mit einem Japaner verwechselt werden. Die Chinesen sind stolz darauf, sich das Reisen eigenständig finanzieren zu können, so schätzen sie es, lieber offen auf die Herkunft angesprochen als verwechselt zu werden.

Einige weitere Verhaltensweisen, wie Spucken, laute Unterhaltung oder Missachten von Warteschlangen, weichen stark von europäischen Gewohnheiten ab. Die chinesische Regierung hat gegen "ungehobeltes Benehmen" chinesischer Touristen im Ausland eine Kampagne gestartet, wodurch die Chinesen vom Reisebüro vor Beginn der Reise über europäische Verhaltensregeln unterrichtet werden (Bayrischer Hotel- und Gaststättenverband e.V. o. J., S. 38-47).

3.3.3 Essgewohnheiten

In der chinesischen Kultur spielt das Essen eine zentrale Rolle. Alle Mahlzeiten am Tag sind von großer Wichtigkeit. "Bezüglich der Kochweise sind Chinesen ohnehin sehr anspruchsvoll (...), den Originalgeschmack triff nur ein Chinese" (Bayrischer Hotel- und Gaststättenverband e.V. o. J., S. 47). Die Chinesen weisen bei der Kombination von Essen große Experimentierfreude auf: Tauschen und Teilen am Tisch ist sehr beliebt. Meist wird zügig gegessen und ein schneller Service erwartet. Wartezeiten zwischen den Gängen sind unbekannt. Auch bei den Tischsitten der Chinesen bestehen große Unterschiede zu europäischen Manieren. Schlürfen und Schmatzen sowie Aufstoßen gehören ebenso zu einer Mahlzeit, wie laute Unterhaltungen, Reden mit vollem Mund oder das Benutzen des Tisches als Ablage für Unverdauliches. Die Rechnung wird von einer Person für die gesamte Gruppe bezahlt, zudem wird in China selten Trinkgeld gegeben. Nach Beenden des Essens verlassen die Chinesen umgehend das Restaurant.

Viele Gerichte der deutschen Küche sind, im Gegensatz zu der Chinesischen, sehr deftig. Dieses ist für Chinesen meist schwer bekömmlich und kann Magenprobleme hervorrufen. Aus diesem Grund bevorzugen die chinesischen Touristen bei einem Aufenthalt in Deutschland häufig chinesische Restaurants.

3.4 Reiseverhaltensorientierte Merkmale

Richtungweisend für die Gestaltung des touristischen Angebots in der Destination ist eine Analyse des Reiseverhaltens. Im Folgenden werden die chinesischen Touristen anhand von entscheidenden Merkmalen in Bezug auf das Reiseverhalten charakterisiert. Dieses ist für den Verlauf der Arbeit als Grundlage für die Produktanpassung von wesentlicher Bedeutung.

3.4.1 Reisestruktur und -dauer

Im Jahr 2003 unternahmen die Chinesen 12,6 Mio. Reisen ins Ausland, worunter alle Geschäfts-, Urlaubs- und VFR-Reisen fielen, die mindestens eine Nacht dauerten (DZT-China 2005, S. 6). Bei Auslandsreisen insgesamt überstieg die Zahl der privaten Urlaubsreisen im Jahr 2000 erstmals die Geschäftsreisen. In den nächsten Jahren wird ein überproportionaler Anstieg der Auslandsreisen erwartet. Nach Prognosen der WTO wird die Anzahl der ins Ausland reisenden Chinesen bis zum Jahr 2020 auf 100 Mio. ansteigen (2003, S. 28). Zukünftig wird dem Anteil der Urlaubsreisen wachsende Bedeutung zu kommen.

Auslandsreisen mit privaten Motiven sind bisher nur in Gruppen von fünf und mehr Personen und in Länder möglich, die diesbezüglich ein Abkommen mit der chinesischen Regierung besitzen. Das Abkommen des so genannten Approved Destination Status (ADS) zwischen China und Deutschland trat am 15. Februar 2003 in Kraft und erlaubt ab diesem Zeitpunkt chinesischen Reisegruppen als Urlauber nach Deutschland zu fahren. Vor dem ADS-Abkommen waren Auslandsreisen nur ausgewählten Geschäftsleuten, Delegationen mit ranghohen Personen des öffentlichen Lebens oder unter hohen Auflagen ein Besuch von Familie oder Verwandten erlaubt. Jede Gruppenreise musste zunächst als Geschäftsreise beantragt werden. Nach der Ankunft der Gruppe wurde das ursprüngliche Programm der Geschäftsreise häufig zu einem Programm mit Urlaubsaspekten umgewandelt (DZT-China 2005, S. 12).

Das ADS-Abkommen erlaubt nicht nur Urlaubsreisen in das jeweilige Land, sondern bewirkt u.a. eine Beantragung der Visa durch chinesische Reiseveranstalter ohne persönliche Anwesenheit der Reiseteilnehmer und eine kürzere Bearbeitungszeit der Anträge. Aber noch immer wird nicht jedem Bürger der Volksrepublik China die Erlaubnis für eine Auslandsreise in eine ADS-Region erteilt. Ein- und Ausreise der chinesischen Bevölkerung wird von Seiten der Regierung streng kontrolliert. Von 56 Staaten mit ADS weltweit können neben Deutschland weitere 26 europäische Länder von touristischen Reisegruppen besucht werden. Das individuelle Reisen ist kaum verbreitet. Nach Europa sind individuelle Urlaubsreisen der chinesischen Bevölkerung aufgrund der Auflagen für Auslandsreisen nicht möglich.

Nur neun von tausend Chinesen unternahmen im Jahr 2003 eine Auslandsreise. Die Intensität von Reisen ins Ausland lag damit bei 0,9 % (DZT-China 2005, S. 9). Aufgrund der kurzen Geschichte des chinesischen Outboundtourismus, besuchen die meisten der chinesischen Auslandstouristen eine Destination zum ersten Mal (WTO 2003, S. 55). Nur wenige chinesische Touristen haben bisher Europa besucht. Aus diesem Grund sind die Erwartungen an die Reise sehr hoch. Die Auslandsreisen von chinesischen Touristen finden in Gruppen statt, deren Größe sehr stark variieren kann. Die Personenanzahl von Geschäftsdelegationen liegt in der Regel zwischen 3 und 20 Personen, während die Gruppen bei Pauschalreisen sehr viel größer ausfallen können. Etwa ein Drittel besteht aus einer Anzahl von bis zu 12 Teilnehmern (Bayrischer Hotel- und Gaststättenverband e.V. o. J., S. 38).
Aufgrund der geographischen Lage des Landes reiste der Großteil an chinesischen Touristen im Jahr 2003 mit dem Flugzeug (98%) nach Deutschland. Innerhalb Europas erfolgt die Weiterreise bevorzugt mit klimatisierten und modern ausgestatteten Reisebussen (DZT-China 2005, S. 18).

Üblicherweise bestehen privat motivierte Reisen nach Europa aus Rundreisen durch mehrere Länder. Bei einer durchschnittlichen Reisedauer von 10 bis 15 Tagen werden bis zu fünf Länder besucht (Chen o. J., S. 1; Bayrischer Hotel- und Gaststättenverband e.V. o. J., S. 38; DZT-China 2005, S. 12). Die Pauschalreisen von chinesischen Urlaubern sind im Ausland an Sightseeing orientiert. Die Rundreisen in Europa beinhalten meist ein sehr ausgefülltes Programm. Aufgrund der vielen Programmpunkte in einer kurzen Zeit, bedarf es eines reibungslosen Ablaufes. Die maximale Aufenthaltsdauer bei chinesischen Reisegruppen in einem Land ist relativ kurz. Überwiegend werden große Städte besucht und ein Aufenthalt in einer Unterkunft beträgt ein bis zwei Nächte. Das Hotel ist mit Abstand die beliebteste Form der Unterkunft, hier werden besonders gerne moderne Hotels mit 3- bis 5-Sternen gewählt. Bei Freunden, Bekannten und Verwandten übernachteten 2003 etwa 13% der chinesischen Besucher in Deutschland (DZT-China 2005, S. 18).

Die Aufenthaltsdauer bei einer Urlaubsreise in Deutschland liegt durchschnittlich bei ungefähr zwei Nächten, während die durchschnittliche Aufenthaltsdauer der chinesischen Touristen in Deutschland im Jahr 2003 bei 15 Nächten lag (DZT-China 2005, S. 18). Dieses ist auf den großen Anteil der chinesischen Geschäftsreisenden in Deutschland zurückzuführen, die sich für einen deutlich längeren Zeitraum in einem Land aufhalten als die Pauschaltouristen.

3.4.2 Reiseausgaben

Bei der Buchung einer Auslandsreise müssen die Reisekosten im Voraus bezahlt werden. Weiterhin dürfen nicht mehr als 2000 US-$ Devisen pro Person und pro Reise in andere Länder ausgeführt werden. Im Allgemeinen geben die Chinesen für ihre Reisen sehr viel Geld aus. Gemeinsam mit den US-Amerikanern und den Japanern nehmen sie den Spitzenplatz bei den Reiseausgaben weltweit ein. Die Gesamtkosten einer Pauschalreise nach Europa liegen bei ca. 2.900 Euro pro Person. Bereits heute belegen die Chinesen mit den Gesamtausgaben aller Auslandsreisen den Rang 12 unter den umsatzstärksten Reisemärkten weltweit (DZT-China 2005, S. 8-9). Besonders für das Einkaufen geben die Chinesen auf ihren Reisen viel Geld aus. Laut der DZT kauften fast alle der chinesischen Reisenden auf einer Auslandsreise ein. Im Jahr 2003 lagen die Ausgaben durchschnittlich bei 217 Euro pro Einkauf (DZT-China 2005, S. 13).

Europareisen werden von den chinesischen Touristen als teuer angesehen. Die Kosten für eine Auslandsreise sind ein Hauptkriterium bei der Auswahl einer Zieldestination. Auch in der nächsten Zeit wird die Nachfrage in China für pauschale Gruppenrundreisen nach Europa im unteren Preissegment weiterhin ansteigen. Langfristig könnte ein kleinerer Marktanteil im gehobenen Preissegment entwickelt werden (Chen 2004, S. 2).

3.4.3 Reiseverhalten und -motive

Der Schwerpunkt von privaten Auslandsreisen der Chinesen liegt auf Sightseeing und Rundreisen. Je größer der kulturelle Unterschied zwischen einem Reiseziel und dem Heimatland China ist, desto attraktiver erscheint dieses. Europa ist aus Sicht der meisten Chinesen ein exotisches Zielgebiet mit einer tief gehenden Geschichte, vielen Ländern mit unterschiedlichen Kulturen, schöner Natur und prachtvollen Gebäuden (Arlt o. J., S. 15). Bei einer Europareise sollen die wichtigsten "Highlights" und Sehenswürdigkeiten besucht werden, insbesondere die europäischen Metropolen, die jedem Chinesen bekannt sind, wie Paris oder Rom (Roth 1998, S. 17). Hauptsächlich werden in Europa Pauschalreisen in Anspruch genommen, die aus Busrundreisen zu den großen europäischen Städten bestehen. Sightseeing und besichtigungsorientierter Urlaub macht 75% der Reisemotive bei Auslandsreisen aus. Erst mit einem deutlichen Abstand folgen andere Reisemotive, wie Badeurlaub oder sonstige Urlaube. Während in anderen Ländern Asiens auch Strandurlaub in Betracht gezogen wird, möchten chinesische Urlauber auf einer Europareise möglichst viel zu sehen bekommen.

Für Chinesen ist es wichtig Spaß zu haben. Hierzu gehört auch das Sozialisieren mit anderen Personen. So ziehen es die chinesischen Gäste vor, auch die freie Zeit in einer Gruppe zu verbringen. Der Besuch von berühmten Destinationen verleiht dem Reisenden Prestige, dabei gilt je bekannter das Reiseziel ist, desto höher ist die Bewunderung. Im Allgemeinen stellen touristische Aktivitäten mit privaten Motiven ein Zeichen von Wohlstand dar (Arlt 2005, S. 5). Je nach ihrer Herkunft besitzen die chinesischen Touristen unterschiedliche Interessensgebiete, auf die bei einer Auslandsreise Wert gelegt wird (siehe 3.4.5). Sport hingegen ist in den Augen der chinesischen Bevölkerung bisher kein wesentliches Urlaubsmotiv (DZT-China 2005, S. 12).

Die Pauschalreisen chinesischer Reisegruppen werden grundsätzlich während der gesamten Reisedauer von einem chinesischsprachigen Reiseleiter begleitet. Dieses beruht einerseits auf einer relativ geringen Reiseerfahrung und andererseits auf der fehlenden Kenntnis von Fremdsprachen (Bayrischer Hotel- und Gaststättenverband e.V. o. J., S. 39). Bei chinesischen Pauschaltouristen stellt der Reiseleiter das Verbindungsglied zwischen der Reisegruppe und den Leistungsträgern dar. Größter Wert ist daher auf ein gutes und vertrauensvolles Verhältnis zum Reiseleiter zu legen, Unzufriedenheiten können am besten vom Reiseleiter in Erfahrung gebracht werden. Beschwerden werden aufgrund der indirekten Kommunikation und des Wahrens der Etikette abgemildert vorgetragen. Der chinesische Gast wendet sich bei Unzufriedenheit mit der Leistung in der Regel an den Reiseleiter oder auch direkt an den Leistungsträger.

Bei der Wahl einer Unterkunft werden besonders 3-Sterne-Hotels mit gutem Service und einer zentralen Lage bevorzugt. Auch in 4- und 5-Sterne-Hotels verweilen die chinesischen Touristen gerne, bei Pauschalreisen wird jedoch meist an der Unterkunft zugunsten des Reisepreises gespart. Die Auswahl eines Hotels wird besonders anhand von den Kriterien Preis, Sauberkeit, Größe der Zimmer, Frühstücksangebot und Freundlichkeit der Mitarbeiter getroffen. Höherrangige Personen sollten Zimmer mit einer besseren Ausstattung bekommen als beispielsweise ihre Angestellten. Es kommt oft vor, dass sich Geschäftsleute sich ein Zimmer teilen, daher wird bei den Doppelzimmern Wert auf zwei getrennte Twin-Betten mit genügend Abstand zu einander gelegt. Bei Gruppenreisenden hingegen sollten die Zimmer gleich ausgestattet sein. Durch den zunehmenden Trend zum Reisen von Familien mit Kindern, werden vielfach Dreibettzimmer gewünscht (Bayrischer Hotel- und Gaststättenverband e.V. o. J., S. 43-45).

Die Mahlzeiten sind für Chinesen von großer Bedeutung, die Essenszeiten auf der Reise werden aufgrund der Gewohnheiten und des ausgefüllten Reiseprogramms genau abgesprochen und eingehalten. Ein ausgiebiges Frühstück mit warmen Speisen ist für chinesische Reisegruppen von großer Wichtigkeit, ebenso wie das Bereitstellen von heißem Wasser. Für das

Mittag- und Abendessen werden chinesische Restaurants bevorzugt (siehe auch 3.3.3).
Chinesische Touristen besitzen sehr hohe Erwartungen an den Service (siehe 3.3.2). Generell ist der chinesische Reisende ein sehr anspruchsvoller Gast, mögliche Sonderwünsche werden nachdrücklich gefordert.

Im Reiseverhalten bei Auslandsreisen "zeichnet sich ein Trend zur Familienreise mit Kindern ab, vor allem zur Ferienzeit während der Sommermonate Juli, August und September" (Bayrischer Hotel- und Gaststättenverband e.V. o. J., S. 38). Aufgrund von günstigeren Reisepreisen wird vereinzelt auch außerhalb der Hauptreisezeit, den "drei goldenen Wochen", verreist. Diese Reisen sind jedoch meist von kürzerer Dauer als die durchschnittlichen Pauschalreisen. Die Öffnung von immer mehr Destinationen für die chinesische Bevölkerung führt dazu, dass in einem einzelnen Land immer weniger Reisestopps zu verzeichnen sind und die zu verbringende Zeit in den einzelnen Destinationen abnimmt (PricehouseWaterCoopers 2001, S. 12). Europa besitzt eine große Attraktivität und bietet ein großes Potential für weitere Besuche. Viele Chinesen möchten ein wiederholtes Mal nach Europa reisen, um andere Orte zu besuchen oder mehr von einem bereits besuchten Ort zu sehen (WTO o. J., S. 82). Hierfür könnte in Zukunft ein intensiverer Besuch mit einer geringeren Anzahl europäischer Länder von Interesse sein.

3.4.4 Reiseinhalte und -ziele

Chinesische Reisegruppen bestehen überwiegend aus einer sehr verschiedenartigen Zusammensetzung, daher besitzen die einzelnen Teilnehmer oftmals unterschiedliche Vorstellungen von der Reise. Dementsprechend finden sich in den Reiseinhalten einer pauschalen Gruppenreise nach Europa häufig eine Kombination an Interessengebieten. Bevor näher auf die Unterschiede eingegangen wird, soll im Folgenden zunächst ein Überblick über die Inhalte des Programms von chinesischen Reisegruppen in Europa gegeben werden.
Im Vordergrund steht bei einer Europareise meist Kultur, Unterhaltung, Landschaft und Einkaufen. Shopping ist bei den chinesischen Touristen sehr

beliebt und zählt zu den Höhepunkten einer jeden Reise. Chinesische Reisende möchten hauptsächlich Produkte einkaufen, für die das Land bekannt ist (Roth 1998, S. 18). "Besonders beliebt sind bei den Chinesen der Kauf von Bekleidung, Einkäufe in Kauf- und Warenhäusern, Uhren, Schmuck und Juwelen, Lederwaren und Taschen. Chinesen bevorzugen Markenware (...), da diese in Europa häufig billiger ist als in China und diese Statussymbole einen hohen Stellenwert haben" (DZT-China 2005, S. 13). Touristengruppen aus China besitzen eine hohe Kaufkraft und geben nicht selten mehr Geld für das Einkaufen als für die Reise selbst aus. Oftmals geben auch Freunde oder Verwandte Geld für den Einkauf von bestimmten Artikeln auf die Reise mit.

Von großem Interesse sind vor allem Lagerverkäufe von Markenware, da das Markenbewusstsein in China sehr ausgeprägt ist. Weiterhin interessieren sich chinesische Touristen für die Möglichkeit des Tax-Free-Shoppings (Chen 2004, S. 2). Chinesen sind es gewohnt am Abend oder an Wochenenden einzukaufen. Shopping wird als ein soziales Event gesehen, deshalb wird der Einkaufsbummel gerne in einer Gruppe gemacht. Das Einkaufen besitzt für chinesische Touristen eine solche Bedeutung, dass in Werbeprospekten der chinesischen Reiseveranstalter vor allem auf Einkaufsmöglichkeiten hingewiesen wird.

Ein weiteres Interessengebiet liegt bei den vielen unterschiedlichen Kulturen in Europa. Gerne möchten die Chinesen mehr über die Bräuche und Lebensweisen der Menschen in Europa erfahren und zeigen sehr großes Interesse über fremde Länder und deren Lebensart zu lernen. Weltberühmte Bauten werden besucht, interessant sind auch Informationen über historische Verbindungen zwischen der europäischen und der chinesischen Kultur, sowie Besonderheiten der Natur. Kunst wird im Allgemeinen geschätzt und auf Reisen gerne aktiv erlebt, wie beispielsweise in Form von klassischen Konzerten. In Deutschland gilt das Interesse vor allem Burgen, historischen Städten und Traditionen.

Im Allgemeinen zählen romantische Stimmung, Eindrücke von fremden Kulturen, viel Abwechslung und intensiver Genuss zu den begehrten Inhalten einer Europareise. Der sehr ausgefüllte Reiseablauf beschränkt sich in der Regel jedoch auf weltbekannte Sehenswürdigkeiten, berühmte

Städte, moderne Attraktionen und reizvolle Landschaften (DZT-China 2005, S. 12). Für das Abendprogramm steht der Besuch eines Kasinos, Konzerte mit klassischer Musik oder der Besuch eines Amüsierviertels auf dem Programm.

Während die chinesischen Pauschaltouristen bei vielen Elementen einer Europareise ähnliche Erwartungen aufweisen, lassen sich aber auch Unterschiede bei den Interessensschwerpunkten in Abhängigkeit von der Herkunft der Reisenden finden. Besondere Präferenzen bei den Reiseinhalten sind bei den Einwohnern von großen chinesischen Metropolen zuerkennen, die durch die Lebensweise in der Stadt geprägt werden. Aufgrund der großen Bedeutung für das Reiseland Deutschland wird der Fokus bei der näheren Betrachtung der Unterschiede auf die Quellregionen Beijing, Shanghai und Guangzhou gelegt.

Die Bewohner der Hauptstadt und des chinesischen Kulturzentrums Beijing werden generell als konservativer und traditionsbewusster bezeichnet als die Einwohner anderer großer chinesischer Städte. Das Interesse bei einer Europareise gilt vor allem der europäischen Geschichte, Kultur und Kunst sowie auch der Architektur. Die Beijinger reisen gerne mit der Familie und schätzen die Erfahrung von anderen Lebensweisen und Kulturen.

Shanghai ist die größte Stadt in China und außerdem das Finanz- und Industriezentrum. Die Bevölkerung in Shanghai gilt im Vergleich als sehr praktisch, aber auch zurückhaltend und abwartend in Bezug auf neue Reisemöglichkeiten. Der Reisepreis wird mit den gebotenen Attraktionen verglichen. Bei einer Reise erachten die Shanghaier ein gutes Preis-Leistungsverhältnis zusammen mit Einkaufsmöglichkeiten und Sicherheit als äußerst wichtig.

Guangzhou ist seit langer Zeit internationales Handelszentrum und gilt als eines der Innovationszentren in China. Durch den internationalen Einfluss wirken die Bewohner von Guangzhou im Vergleich zu anderen Chinesen liberal und kosmopolitisch. Die Ausgaben für Reisen sind in Guangzhou die höchsten in ganz China. Viele der Bewohner reisen ein bis zwei Mal im Jahr ins Ausland und sind somit reise erfahrener als die übrige Bevölkerung des Landes. Gerne wird nach neuen Reiseangeboten gefragt und eine Auswahl an verschiedenen Reiserouten in einer Destination gefordert. Wichtig ist auf

Reisen auch der Komfort, so werden beispielsweise Direktflüge gegenüber Gabelflügen über Hongkong bevorzugt. Auf Reisen werden neue Erfahrungen, Unterhaltung und gutes Essen besonders geschätzt. Für diese Bevölkerungsgruppe sind die Stereotypen der europäischen Kultur von großem Interesse. Die Einwohner von Guangzhou lieben Aufregendes, wie an Silvester dem Big Ben in London zu hören oder das Oktoberfest in München zu besuchen, auch der Besuch von Spielbanken gehört zu den besonderen Vorlieben (WTO 2003, S. 63-129; WTO o. J., S. 82; Scandinavian Tourist Board 2004, S. 5-6; Arlt o. J., S. 19).

Als Reiseziele im Ausland wurden im Jahr 2003 von 80% (10,1 Mio. Reisen) der chinesischen Touristen die umliegenden Länder in Asien gewählt. Als beliebtestes Fernreiseziel schnitt Europa mit einem Anteil von 15% ab (DZT-China 2005, S. 6). Innerhalb Europas führten die Besucherströme aus China zum größten Teil nach West- und Zentraleuropa. Die Nachfrage für Reiseziele in Skandinavien und am Mittelmeer hielt sich in Grenzen. Reisen nach Osteuropa, mit Ausnahme von Russland, wurden von den Chinesen kaum nachgefragt. Hierbei ist zu berücksichtigen, dass Urlaubsreisen in den osteuropäischen Raum, außer nach Russland, aufgrund des fehlenden ADS offiziell noch nicht möglich sind. Deutschland, Frankreich, Niederlande, Belgien und Luxemburg gelten als "die fünf in Europa" und weisen mit Italien, aufgrund der geographischen Lage im Zentrum Europas, eine sehr hohe Attraktivität auf (Roth 1998, S. 15).

Im Jahr 2003 war Deutschland das beliebteste europäische Reiseziel bei den Chinesen. Die Besucherzahlen wiesen mit 14,4% die höchsten Besucherzahlen vor Frankreich (12,7%), den Beneluxländern (12,2%) und Italien (7,1%) auf (DZT-China 2005, S. 10-11). Zurückzuführen ist dieses allerdings auf die hohe Anzahl von Geschäftsreisen, bei denen Deutschland eine besonders wichtige Position einnimmt.

Bei den privat motivierten Reisen liegt nach Expertenaussagen Frankreich, gefolgt von Italien und den Beneluxländern vor Deutschland an der Spitze der europäischen Top-Reisedestinationen. Frankreich und Italien sind bei den Chinesen sehr beliebt, da die großen Metropolen wie Rom und Paris weltberühmt sind. Wenn auch die Metropolen in Deutschland nicht an diesen

Bekanntheitsgrad herankommen, möchten doch viele Chinesen mindestens einmal in ihrem Leben nach Deutschland reisen.

3.5 Zusammenfassung

Für eine erfolgreiche Bearbeitung eines Zielsegments bedarf es einer möglichst genauen Beschreibung der anvisierten Käuferschicht. Anhand von bestimmten Segmentierungskriterien wird die Zielgruppe charakterisiert. Auf diese Weise ist eine gezielte Ansprache durch die Gestaltung des Marketing-Mix möglich. Der chinesische Auslandsreisemarkt weist keine sehr stark untergliederten Marktsegmente auf, da er noch ein sehr junger Markt ist. Um passende Angebote für chinesische Touristen zu entwickeln, ist eine nähere Betrachtung des Zielsegments unabdingbar.

Als das bevölkerungsreichste Land der Erde besitzt die Volksrepublik China mit 1,3 Mrd. Einwohnern ein großes Potential für die Tourismusbranche. Wichtig für den deutschen Incomingtourismus sind vor allem die Regionen entlang der Küste im Osten des Landes, insbesondere die Einzugsbereiche der großen Metropolen Shanghai, Beijing und Guangzhou. Der chinesische Deutschlandreisende ist durchschnittlich 35 Jahre alt, männlich und weist ein sehr hohes Bildungsniveau auf. Die nach Deutschland reisenden Chinesen gehören gehobenen Berufsgruppen an und verfügen vorwiegend über ein hohes Einkommen. Mit einer stark ansteigenden Tendenz ist es bisher rund 65 Mio. Chinesen möglich eine Auslandsreise zu unternehmen.

Die Veränderung der Arbeitsbedingungen wirkt sich positiv auf das Reiseverhalten der Chinesen aus. Hierbei ist besonders die Feiertagsregelung der "drei goldenen Wochen" zu nennen. Die Kenntnis der kulturellen Besonderheiten von chinesischen Gästen in den besuchten Gebieten ist von großer Bedeutung. Hier liegt zusammen mit den reiseverhaltensorientierten Merkmalen der Schlüssel zur Erfüllung der Bedürfnisse und somit zur erfolgreichen Bearbeitung des Marktes. Für die Schulung von Personal, das in direktem Kontakt mit den chinesischen Gästen steht, sind insbesondere die Eigenschaften von Kommunikation und Umgangsformen bedeutsam, da diese große Unterschiede zur deutschen Kultur aufweisen. Weiterhin spielt das Essen in der chinesischen Kultur eine zentrale Rolle.

Während Geschäftsreisen schon relativ lange ins Ausland und nach Europa durchgeführt werden, sind Urlaubsreisen ein neues Phänomen. Seit 2003 kann Deutschland von der chinesischen Bevölkerung als Urlaubsreiseziel besucht werden. Die Urlaubsreisen der Chinesen nach Europa finden ausschließlich in Gruppen statt, sind größtenteils Pauschalreisen und gehen üblicherweise durch mehrere Länder. Auf den Rundreisen werden bekannte Städte und Highlights in Europa besucht, die Aufenthaltsdauer an einem Ort ist relativ kurz. Die Reisegruppen werden auf einer Europareise umfassend von einem chinesischsprachigen Reiseleiter betreut. Der ausgefüllte Reiseablauf besteht zum größten Teil aus Sightseeing, einen hohen Stellenwert besitzt zudem das Einkaufen. Insgesamt geben die Chinesen für Auslandsreisen viel Geld aus, ein sehr großer Teil geht auf die Einkäufe während der Reise zurück. Bei einer Auslandsreise unterscheiden sich die Interessengebiete der chinesischen Pauschaltouristen je nach Herkunft des Reisenden.

Der Besuch von bekannten Destinationen im Ausland verleiht dem Reisenden Prestige. Generell gelten chinesische Touristen als anspruchsvolle Gäste, denn diese besitzen hohe Erwartungen an Europa. Nach Asien ist Europa das beliebteste Reiseziel im Ausland. Als Reiseziele in Europa sind bei den Chinesen besonders Frankreich und Italien beliebt, aber auch Deutschland ist von außerordentlichem Interesse.

4 Chinesischer Incomingtourismus in Deutschland

In diesem Kapitel wird zunächst die Entwicklung des chinesischen Incomingtourismus in Deutschland betrachtet, die den Rahmen für den China-Tourismus in Hamburg bildet. In diesem Zusammenhang ist auch das Image und die Positionierung des Reiselands Deutschland zu betrachten sowie die Reiseziele chinesischer Gäste in der Bundesrepublik. Im Anschluss wird der Schwerpunkt auf die touristische Entwicklung von chinesischen Touristen in Hamburg gelegt, die zusammen mit den Reisearten der Chinesen nach Hamburg die Ausgangssituation für die weitere Untersuchung der Hansestadt darstellt.

4.1 Entwicklung des chinesischen Incomingtourismus

In Europa ist Deutschland der wichtigste Handelspartner Chinas und seit kurzer Zeit gewinnt China auch für den Incomingtourismus in Deutschland zunehmend an Bedeutung. Inzwischen stellt China nach den USA und Japan den dritt wichtigsten Überseequellmarkt für Deutschland dar (Nordrhein-Westfalen Tourismus e.V. 2003, S 1). Über die vergangen Jahre wuchsen die Ankünfte der chinesischen Besucher in Deutschland von 115.000 im Jahr 1995 auf 387.000 in 2004 beständig an. Nur im Jahr 2003 wurde aufgrund der SARS-Krise ein leichter Rückgang verzeichnet (siehe Abb. 7). Die Ankünfte steigerten sich von 268.000 Ankünften in 2003 auf 387.000 in 2004 um 44,5%.

In den Beherbergungsbetrieben konnte von 1995 bis zum Jahr 2003 eine beständige Steigerung bei den Übernachtungszahlen von chinesischen Gästen beobachtet werden. Im Jahr 2004 wurde mit 36,5% ein sehr hoher Zuwachs der Übernachtungen von Chinesen verzeichnet. Die Übernachtungen stiegen von 578.000 im Vorjahr auf 789.000 Übernachtungen in 2004 an (siehe Abb. 8). Zurückzuführen sind die hohen Zuwachsraten auf das ADS-Abkommen zwischen Deutschland und China Anfang 2003, denn erst ab diesem Zeitpunkt dürfen Chinesen offiziell Urlaubsreisen nach Deutschland unternehmen. Nicht in den Statistiken erfasst wurde hingegen die Anzahl der chinesischen Gäste, die Freunde oder Verwandte in Deutschland besuchten (VFR-Reisen).

54

Abb. 7: Entwicklung des chinesischen Incomingtourismus in Deutschland

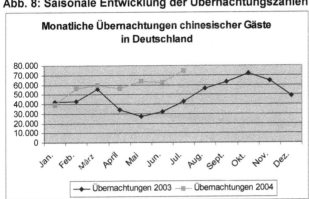

Entwicklung des chinesischen Incomingtourismus
in Deutschland (in Tsd.)

—◆— Ankünfte —■— Übernachtungen

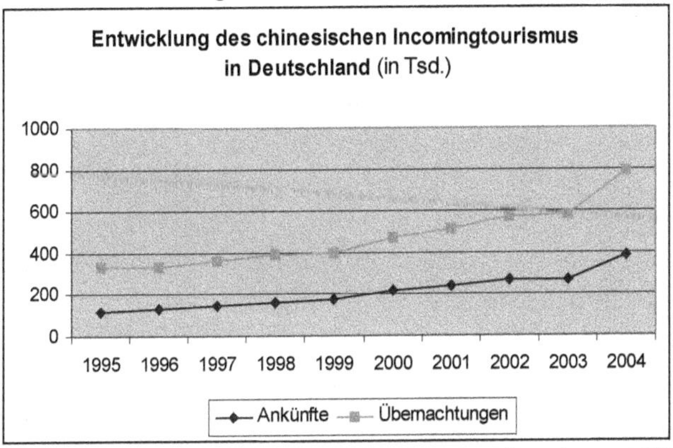

(Quelle: DZT-China 2005, S. 13; Statistisches Bundesamt 2005a)

Bei der Betrachtung der monatlichen Übernachtungen des Jahres 2003 und der zur Verfügung stehenden Zahlen des Jahres 2004 wird ersichtlich, dass die Zahl der Übernachtungen während der Sommermonate ansteigen. Insgesamt lassen sich in diesen beiden Jahren aber keine Regelmäßigkeiten in der Reisezeit ausmachen (siehe Abb. 8). Der Oktober könnte jedoch auch im Jahr 2004 die meisten Übernachtungen aufgewiesen haben, da hier eine der drei goldenen Wochen liegt.

Abb. 8: Saisonale Entwicklung der Übernachtungszahlen

Monatliche Übernachtungen chinesischer Gäste
in Deutschland

—◆— Übernachtungen 2003 —■— Übernachtungen 2004

(Quelle: Statistisches Bundesamt 2005b)

Während bei den Chinesen insgesamt das Motiv Urlaub bei Auslandsreisen im Vordergrund steht, besitzt dieses bei Reisen nach Deutschland bisher eine wesentliche geringere Bedeutung. Mit einem Anteil von 47% im Jahr 2003 waren Geschäftsreisen für die Chinesen mit Abstand die Hauptursache für eine Reise nach Deutschland. Weitere 36% der Reisen erfolgten aufgrund eines Besuches von Familie oder Verwandten (VFR-Reisen) oder sonstigen Gründen. Für nur 17% aller nach Deutschland reisenden Chinesen war Urlaub die Ursache der Reise (DZT-China 2005, S. 17). Zu beachten ist hierbei jedoch, dass erst seit kurzer Zeit offiziell Urlaubsreisen nach Deutschland unternommen werden dürfen und die Geschäftsreisen nach Deutschland überwiegend einen großen Anteil Sightseeing enthielten.

Seit dem Jahr 2000 überwiegt bei den Auslandsreisen insgesamt der Anteil an Urlaubsreisen. Von 2004 bis 2008 wird eine Verdopplung der Anzahl chinesischer Auslandsreisender von 24 Mio. auf 50 Mio. Reisende vorausgesagt (HHT 2005b, S. 1). Zu erwarten ist, dass auch der Anteil von Urlaubsreisen nach Europa in den nächsten Jahren überproportional ansteigen und sich dieses auf den Anteil der Reiseformen von chinesischen Gästen in Deutschland auswirken wird. Daher stellen die chinesischen Urlaubsreisenden ein sehr großes Potential für das Reiseland Deutschland dar.

4.2 Image und Positionierung von Deutschland

Europa wird in China aufgrund der großen kulturellen Unterschiede als exotisch angesehen und besitzt ein sehr gutes Image im Bereich der wirtschaftlichen und technologischen Entwicklung. Insbesondere werden hiermit deutsche Unternehmen, wie Volkswagen oder Siemens, in Verbindung gebracht. Deutschland gilt als ein hoch entwickeltes Land, dass bekannt ist für Qualitätsprodukte und einen hohen technologischen Wissensstand. Die Bundesrepublik Deutschland besitzt intensive und traditionsreiche Handelsbeziehungen mit China. Während Deutschland einen ausgezeichneten Ruf als Ziel für Geschäftsreisen sowie als Messe- und Kongressdestination genießt, ist es als Urlaubsland hingegen noch relativ unbekannt (DZT-China 2005, S. 18-19).

Der europäische Kontinent wird von den chinesischen Reisenden als eine zusammenhängende Destination angesehen. In China sind überwiegend

Namen berühmter Metropolen und Highlights in Europa bekannt, über die europäische Kultur und die einzelnen Länder ist das Wissen gering. Dementsprechend kann bisher nur ein geringer Anteil der chinesischen Bevölkerung etwas mit den einzelnen europäischen Ländern und der Kultur in Verbindung bringen.

Bei den chinesischen Europareisenden, privat wie auch geschäftlich, besitzt Deutschland ein sehr gutes Image. Es wird als eine traditions- und kulturreiche Destination gesehen. Bekannt ist es als Heimat berühmter Erfinder (z.B. Benz, Siemens) und von Intellektuellen, insbesondere Karl Marx. Aber auch Komponisten, wie Bach, Mozart und Beethoven, werden mit Deutschland in Verbindung gebracht, denn Chinesen sind begeistert von klassischer Musik. Hochwertige deutsche Produkte, insbesondere bekannte Marken, wie beispielsweise Hugo Boss, finden bei den Chinesen große Anerkennung. Bewundert werden die Deutschen für ihre Autos und das gute Bier, aber auch die deutsche Fußballbundesliga findet in China Beachtung (Bayrischer Hotel- und Gaststättenverband o. J., S. 37).
Landschaftlich und kulturell werden romantische Schlösser und Burgen, alte Städte und Feste mit Deutschland assoziiert. In China ist das Bild des Deutschen zum einen der Bier-trinkende Deutsche in Lederhosen und auf der anderen Seite werden Charakteristika wie Ehrlichkeit, Verlässlichkeit und Pünktlichkeit mit den Deutschen verbunden, zudem wird ihnen ein immerzu ernster Gesichtsausdruck nachgesagt.

Um Deutschland als Reiseziel bekannter und somit für die Chinesen attraktiver zu gestalten, bedarf es einerseits Aktionen zur Vermarktung im Quellmarkt, andererseits aber auch einer anziehenden Positionierung und Gestaltung der Produkte in der Zielregion. Die Vermarktung des Reiselandes Deutschland sowie auch die Steigerung des Bekanntheitsgrades liegt übergeordnet in den Händen der zentralen Tourismusorganisation in Zusammenarbeit mit den regionalen Tourismusverbänden. Auch eine übergeordnete Positionierungsstrategie für Deutschland als Reiseland wird von dieser Institution gestaltet.
Da der chinesische Auslandsreisemarkt einen sehr jungen und bisher ungesättigten Markt darstellt, ist eine überwiegend klassische Positionierung

hinreichend (siehe 2.3). Weltweit positioniert sich Deutschland mit einer großen Vielfalt, passend für die entsprechenden Vorlieben der jeweiligen Quellmärkte. Für den chinesischen Markt steht das Thema Kultur verbunden mit Städte- und Rundreisen im Vordergrund der Aktivitäten, daher bildet das Kulturland Deutschland den Rahmen für den China-Tourismus. Als Schwerpunkte fallen hierunter das Erleben deutscher Städte mit besonderem Gewicht auf Shopping, deutschen Themenrouten sowie Festen und Events, wie z.B. das Oktoberfest und Weihnachtsmärkte. Deutschland soll als Messe- und Kongressdestination gestärkt und die Bildungsmöglichkeiten für chinesische Jugendliche in Deutschland hervorgehoben werden (Nordrheinwestfalen Tourismus e.V. 2003, S. 6). Bei Urlaubsreisen nach Europa ist Deutschland, aber bisher nur ein kleines Teilstück der Gesamtreise.

4.3 Zielgebiete in Deutschland

Die Europareisen von chinesischen Reisegruppen gehen durch mehrere europäische Länder, zu denen überwiegend auch Deutschland gehört. Für Rundreisen, die in Deutschland beginnen, ist Frankfurt das wichtigste Drehkreuz und bildet so den ersten Berührungspunkt mit Europa und Deutschland. Aber auch andere Städte, wie beispielsweise München und Stuttgart, bieten Direktverbindungen von China aus an.

Vorwiegend werden auf einer Reise durch Europa die großen Städte angesteuert. In Deutschland entfielen im Jahr 2004 ungefähr 41% der insgesamt rund 789.429 Übernachtungen aus China auf die Magic Cities[1]. Am beliebtesten waren Frankfurt (90.796), München (65.363), Berlin (56.082), Köln (36.441) und Hamburg (27.346). Platz sechs und sieben nahmen die Städte Düsseldorf (25.896) und Stuttgart (15.796) ein, gefolgt von Hannover (5.476) und Dresden (3.027) (HHT 2005b, S. 3). Insgesamt fanden die meisten Übernachtungen in den Bundesländern Bayern, Nordrhein-Westfalen und Hessen statt (siehe Abb. 9).

---

[1] Werbegemeinschaft der neun größten Städte in Deutschland

Abb. 9: Zielgebiete der chinesischen Gäste in Deutschland

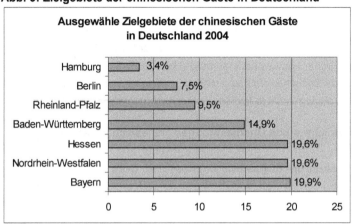

Ausgewähle Zielgebiete der chinesischen Gäste
in Deutschland 2004

Hamburg	3,4%
Berlin	7,5%
Rheinland-Pfalz	9,5%
Baden-Württemberg	14,9%
Hessen	19,6%
Nordrhein-Westfalen	19,6%
Bayern	19,9%

(Quelle: HHT 2005, S. 3)

Für Pauschalreisen aus China sind bisher überwiegend die Städte im Süden Deutschlands von Bedeutung, da diese für die Reiserouten geographisch am günstigsten liegen. Die Routen bestehen meist aus einem Besuch von München, der romantischen Straße um Rothenburg, dem Schwarzwald und Heidelberg sowie Köln, Bonn und Trier. Gerne wird das Schloss Neuschwanstein in der Nähe von Füssen und Einkaufsadressen wie z.B. das Hugo Boss Outlet in Metzingen besucht. Hinzu kommen teilweise Berlin und Hamburg.

4.4 China-Tourismus in Hamburg

Im diesem Abschnitt wird die Entwicklung des chinesischen Incomingtourismus in Hamburg betrachtet. Wichtig sind vor allem die Ankunfts- und Übernachtungszahlen der chinesischen Besucher in der Stadt Hamburg. Die Chinesen reisen aus unterschiedlichen Anlässen in die Hansestadt, hierbei werden die Geschäfts-, VFR- und die Urlaubsreisenden näher betrachtet.

4.4.1 Entwicklung des chinesischen Incomingtourismus in Hamburg

Aufgrund der positiven Entwicklung des chinesischen Auslandsreisemarktes und des großen Potentials gilt China als wichtiger Entwicklungsmarkt für den Tourismus in der Hansestadt Hamburg (HHT 2005, S. 2). Die Ankünfte der chinesischen Besucher nahmen insgesamt stetig zu, nur in den Jahren 2001 und 2003 unterlagen diese leichten Schwankungen (siehe Abb. 10).

Abb. 10: Ankünfte und Übernachtungen chinesischer Gäste in Hamburg

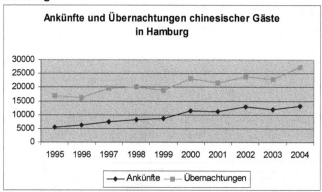

(Quelle: Statistikamt Nord 2005a)

Im Jahr 2004 war ein Großteil der Ankünfte aus China in den Sommermonaten von Juli bis September zu verzeichnen. Im September reisten mit Abstand die meisten chinesischen Gäste nach Hamburg. Die Übernachtungen in Hamburg entwickelten sich ähnlich den monatlichen Ankünften der chinesischen Gäste (siehe Abb. 11).

Gemeinsam mit Hongkong belegt China Rang 14 der Auslandsquellmärkte des Tourismus in Hamburg. Im Vergleich zum Vorjahr wuchsen die Übernachtungszahlen der chinesischen Besucher in Hamburg und Berlin jedoch langsamer als die in südlichen Gebieten Deutschlands. Dieses ist auf die steigende Anzahl von chinesischen Pauschaltouristen zurückzuführen, die aufgrund des ADS-Abkommens eine Urlaubsreise nach Europa mit einer Route durch Deutschland unternehmen.

Abb. 11: Saisonale Entwicklung chinesischer Gäste in Hamburg

Monatliche Ankünfte und Übernachtungen
chinesischer Gäste in Hamburg 2004

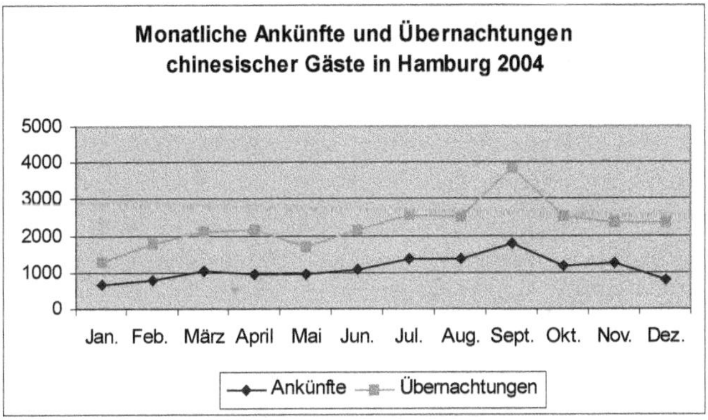

(Quelle: Statistikamt Nord 2005b)

Für die klassischen Routen der chinesischen Reisegruppen in Europa liegt Süddeutschland aufgrund des ausgefüllten Reiseprogramms geographisch günstiger als der Norden und verzeichnet daher höhere Zuwachsraten als die Regionen im nördlicheren Teil Deutschlands.

4.4.2 Reisearten der chinesischen Touristen in Hamburg

Chinesische Touristen besuchen die Hansestadt Hamburg aus unterschiedlichen Gründen. Einen großen Anteil stellten Geschäftsreisen dar, die in China überwiegend für das gehobene Management organisiert werden, um sich mit dem Land des Geschäftspartners vertraut zu machen. Chinesen schätzen Auslandsreisen als eine wertvolle Gelegenheit ein anderes Land kennen zu lernen. Zwischen der Hansestadt Hamburg und der Volksrepublik China bestehen seit langer Zeit enge Handelsbeziehungen. Die in Hamburg angesiedelten chinesische Unternehmen tragen ihr Übriges zu Geschäftsreisen aus China nach Hamburg bei. Als Messedestination hingegen nimmt Hamburg bisher keine führende Position für chinesische Geschäftsreisen ein (Finck 2004, S. 49). Geschäftsreisende halten sich in der Regel mehrere Tage in Hamburg auf. Das Programm und die genaue Aufenthaltsdauer richten sich nach dem Motiv der Reise sowie dem Tätigkeitsbereich der Delegation.

Im Rahmen des Besuches werden häufig so genannte "Technical Visits" in die Hamburger HafenCity, die Hafenanlagen, insbesondere jedoch zu Airbus und Lufthansa Technik durchgeführt. Neben den geschäftlichen Aktivitäten wird häufig ein umfangreiches Sightseeingprogramm veranstaltet, hierzu zählt eine Stadt- und Hafenrundfahrt sowie eine Bootsfahrt auf der Alster. Während des Aufenthalts von Geschäftsreisenden ist im Abendprogramm vielfach ein Besuch der berühmten Hamburger Amüsiermeile, der Reeperbahn auf St. Pauli, zu finden. Zudem werden tagsüber auch Orte im Umland besichtigt.

In Hamburg gibt es eine chinesische Gemeinde mit rund 3100 Mitgliedern, daher kann vermutet werden, dass einige chinesische Touristen aus diesem Grund in die Hansestadt reisen. Nähere Daten zu VFR-Reisen ließen sich nicht ausfindig machen, da diese Reiseform von den Statistiken nicht erfasst wurde. Das Studieren und Arbeiten in Deutschland steht für Chinesen bisher im Vordergrund, da Deutschland gute Bildungsstätten zu erschwinglichen Preisen bietet. Neben dem erlangten Wissen, ist zudem die Beherrschung der deutschen Sprache sowie Kenntnis der Kultur und Mentalität des wichtigsten europäischen Handelspartners von Vorteil für viel versprechende Berufsaussichten. Daher unternehmen chinesische Eltern teilweise spezielle Reisen nach Deutschland, um einen idealen Studienort für ihr Kind auszuwählen (Finck 2004, S. 52).

Hamburg ist die zweitgrößte Stadt Deutschlands, doch nur der Weg eines verhältnismäßig geringen Anteils chinesischer Reisegruppen führt in die Hansestadt. Nach Expertenaussagen fahren etwa 50% der chinesischen Touristengruppen nach Hamburg und Berlin. Der Besuch der beiden großen Städte bedeutet aufgrund der geographischen Lage einen relativ hohen Zeitaufwand für das ausgefüllte Programm einer Europareise. Berlin besitzt als Haupt- und größte Stadt Deutschlands einen Bonus. Wird aber ein Abstecher nach Berlin gemacht, so steht häufig auch ein Besuch in Hamburg auf dem Plan.

Üblicherweise treffen die chinesischen Pauschalreisegruppen mittags in Hamburg ein. Das Programm für den Nachmittag in Hamburg besteht aus einer Stadt-, Hafen und Alsterrundfahrt. Im Anschluss werden Einkaufsmöglichkeiten aufgesucht. Viel Zeit bleibt den chinesischen Pauschaltouristen nicht, denn am nächsten Morgen geht es früh weiter auf der Reiseroute. Es ist zu erkennen, dass Hamburg bei einer erstmaligen Europatour von chinesischen Pauschaltouristen bisher nur am Rande der Reiseroute und der bevorzugten Reiseziele liegt. Aufgrund der großen Attraktivität von Reisen nach Europa, ist davon auszugehen, dass im Laufe der Zeit weitere Pauschalreisen auf den europäischen Kontinent unternommen werden, die sich gezielter auf eine geringere Anzahl von Ländern mit mehr Zeit für Details konzentrieren (WTO o. J., S. 82). Für die Besucherströme der chinesischen Touristen, die ein wiederholtes Mal nach Europa reisen, besitzt Hamburg sehr großes Potential, das es frühzeitig auszubauen gilt.

4.5 Zusammenfassung

Neben den Handelsbeziehungen zu China wächst die Bedeutung des chinesischen Incomingtourismus in Deutschland. Die Ankünfte und Übernachtungszahlen der Gäste aus China weisen hohe Zuwachsraten aus. Im Jahr 2004 kamen insgesamt 387.000 Besucher aus China, 44,5% mehr als im Vorjahr und die Übernachtungen stiegen um 36,5% an. Die Ursache hierfür liegt vor allem an den seit kurzem offiziell durchführbaren Privat- und Urlaubsreisen in viele Länder Europas. Als Anlass einer Deutschlandreise standen bisher Geschäftsreisen im Vordergrund, in Zukunft stellen die nun möglichen Urlaubsreisen der Chinesen ein großes Potential dar. Deutschland besitzt in China ein gutes Image und wird in Verbindung gebracht mit Produkten guter Qualität und eines hohen technischen Know-hows. Als Reiseland ist Deutschland allerdings noch weitgehend unbekannt. Für den China-Tourismus wird das Reiseland Deutschland als Kulturland positioniert und ein Schwerpunkt auf Shopping gelegt. Von Bedeutung für chinesische Reisegruppen sind große Städte und vor allem die südlichen Regionen in Deutschland, aufgrund der geographisch günstigen Lage für die Reiserouten. Trotzdem wurden auch in der Hansestadt Hamburg zum Vorjahr zweistellige Zunahmen bei Ankünften (11,4%) und Übernachtungen (19,7%) verzeichnet.

Aufgrund der wirtschaftlichen Bedeutung bildet Hamburg seit langem einen Anziehungspunkt für Geschäftsreisen, aber auch eine große chinesische Gemeinde lässt auf zahlreiche VFR-Reisende schließen. Für chinesische Reisegruppen liegt Hamburg hingegen bisher nur am Rande der Reiserouten, daher gilt es die Hansestadt weiter in den Mittelpunkt zu rücken und das Potential der Stadt für künftige Besucherströme auszubauen.

5 Produktanpassung für chinesische Touristen

Chinesische Privat- und Urlaubsreisen ins Ausland sind ein relativ neues Phänomen, daher besitzen die bereisten Länder und Regionen meist noch wenig Wissen über diese Touristengruppe. Viele chinesische Touristen empfinden aus diesem Grund die empfangenen Leistungen als nicht zufriedenstellend. Es fehlt an maßgeschneiderten Angeboten und Services für diese Zielgruppe. Informationen und Beschilderung werden in den Zielgebieten oft als mangelhaft aufgefasst. Daher sollten Schritte eingeleitet werden die Gegebenheiten zu verbessern, um die Zufriedenheit chinesischer Gäste zu erhöhen und die Attraktivität des Zielgebiets zu steigern (Arlt 2005, S. 7). In diesem Zusammenhang ist es von großer Bedeutung die touristischen Dienstleistungsprodukte einer Destination auf die Bedürfnisse chinesischer Touristen anzupassen.

Dieses Kapitel beschäftigt sich mit der Produktanpassung in der Hansestadt Hamburg, um das Wohlbefinden chinesischer Touristen zu erhöhen und die touristischen Dienstleistungen in der Stadt für dieses Zielsegment attraktiver zu gestalten. Besonders die zum wiederholten Mal nach Europa reisenden Chinesen besitzen für Hamburg großes Potential, da diese mehr Zeit für einzelne Regionen mitbringen werden. Die Voraussetzung für einen Besuch aber ist, dass die Destination für diese Zielgruppe eine besondere Attraktivität aufweist.

5.1 Herangehensweise der Produktanpassung

Die Anpassung der touristischen Produkte wird speziell für die Zielgruppe chinesischer Pauschalreisender in der Hansestadt Hamburg vorgenommen. Die Abstimmung der touristischen Dienstleistungen auf die Bedürfnisse der chinesischen Reisegruppen erfolgt in drei Schritten. Als erstes wird der aktuelle Stand mit bereits vorgenommenen Maßnahmen analysiert. Weiterhin folgt eine Darstellung von Best Practice Beispielen ausgewählter Destinationen und Leistungsträger in Bezug auf die Zielgruppe. Aus diesen beiden Schritten und unter der Einbeziehung der Erkenntnisse aus Nachfrageanalyse und den Merkmalen des chinesischen Incomingtourismus werden abschließend Möglichkeiten für eine weitere Produktanpassung in Hamburg vorgestellt.

Die Basis für die Ist-Analyse des Angebots, wie auch die Best Practice Beispiele beruht auf einer Sekundärrecherche über den chinesischen Incomingtourismus in Deutschland und speziell Hamburg verbunden mit primären Daten von Expertenaussagen. In die abschließenden Handlungsempfehlungen für den China-Tourismus in Hamburg fließen neben den bisherigen Erkenntnissen auch Tendenzen der Expertenaussagen mit ein. Für diese Arbeit wurde die Befragung von Experten ausgewählt, da eine Vielzahl kompetenter Ansprechpartner für den chinesischen Outboundreisemarkt nach Europa und den China-Tourismus in Hamburg vorhanden ist (siehe Anhang 1b). Die Expertengespräche erfolgten überwiegend persönlich, hierfür wurde ein Leitfaden erstellt (siehe Anhang 2). Weiterhin wurde für die schriftlichen Expertenbefragungen, die wegen der geographischen Distanz nicht persönlich durchgeführt werden konnten, ein Musterfragebogen entworfen (siehe Anhang 3). Der Leitfaden wurde jeweils auf die einzelnen Experten abgestimmt bzw. geringfügig um einzelne Fragen ergänzt, die den speziellen Kompetenzbereich der Experten betrafen.

5.2 Ist-Analyse des Angebots in der Hansestadt Hamburg

Im Rahmen der Ist-Analyse soll die momentane Situation des Angebots in der Hansestadt Hamburg für den chinesischen Incomingtourismus untersucht werden. Nach einer kurzen Darstellung der Akteure in diesem Bereich sowie von Image und Positionierung der Hansestadt Hamburg im chinesischen Markt sollen insbesondere die bisherigen Maßnahmen in der touristischen Dienstleistungskette betrachtet werden. Die touristischen Dienstleistungen für chinesische Besucher wurden sorgfältig anhand von Sekundärliteratur sowie Expertenauskünften recherchiert, unterliegen jedoch einem stetigen Wandel, sodass es sich hierbei um eine Momentaufnahme handelt. Im Anschluss an die Elemente der Dienstleistungskette werden Überlegungen der Hamburger China-Akteure zu Packages und Reiserouten für chinesische Reisegruppen dargestellt.

5.2.1 Akteure in Hamburg

Bei der Gestaltung des touristischen Angebots in einer Destination fällt dem Zusammenspiel der beteiligten Akteure eine große Bedeutung zu. Im

Folgenden werden die Beteiligten dargestellt, die einen wesentlichen Einfluss auf den China-Tourismus in Hamburg ausüben. Durch die langjährigen Handelsbeziehungen zwischen China und Hamburg haben sich in der Hansestadt zahlreiche chinesische Unternehmen angesiedelt. Mit über 350 chinesischen Firmen nimmt Hamburg in Europa einen Spitzenplatz als Standort für Unternehmen aus China ein. Die Unternehmen verstehen Hamburg als Tor nach Europa. Weitere 700 Hamburger Unternehmen führen einen regelmäßigen Handelsaustausch mit China. Aus diesem Grund genießt Hamburg den Ruf als wichtigstes China-Zentrum in Europa (Dronski 2004, S. 3). Eine Studie des Ostasiatischen Vereins bestätigt die führende Position der Stadt als Chinawirtschaftszentrum in Europa.

Die wirtschaftliche China-Kompetenz verdankt Hamburg nicht nur den Hamburger und chinesischen Unternehmen, sondern auch einer Vielzahl an Institutionen, Verbänden und Forschungseinrichtungen, wie z.B. der Chinesisch-Deutschen Gesellschaft e.V., der Vereinigung der chinesischen Kaufmannschaft in Deutschland e.V. oder des Instituts für Asienkunde (Senatskanzlei der Freien- und Hansestadt Hamburg 2004, S. 1).
Eigens zur Koordinierung der vielfältigen Beziehungen der China-Akteure in der Hansestadt wurde 2003 eine China-Kooperationsstelle in der Hamburger Senatskanzlei eingerichtet. Asien und insbesondere China bildet einen außenwirtschaftlichen Schwerpunkt, denn China ist der wichtigste Partner des Hamburger Hafens. Seit 1996 besteht eine Städtepartnerschaft zwischen Hamburg und Shanghai, die weit über den Handel hinaus reicht und aus zahlreichen Projekten und Aktivitäten u.a. in den Bereichen Kultur und Tourismus besteht. Die Kooperation von Hamburg und Shanghai ist eine der Aktivsten unter den acht Städtepartnerschaften der Hansestadt und verknüpft die beiden Städte eng miteinander. Auf politischer Ebene finden regelmäßige Besuche statt und es herrscht ein großes Maß an Gastfreundschaft. Im Jahr 2006 sind zahlreiche Aktivitäten in Hamburg und Shanghai zum 20-jährigen Jubiläum dieser Beziehung geplant (HHT 2005b, S. 5-6).

Von äußerster Wichtigkeit für das touristische Geschehen in der Hansestadt ist die Hamburg Tourismus GmbH (HHT). Die HHT übernimmt als zentrale

Tourismusorganisation eine koordinierende Rolle für die einzelnen touristischen Leistungsträger sowie die übergreifende Vermarktung zur Steigerung des Bekanntheitsgrades der Stadt. China wird als ein wichtiger Entwicklungsmarkt für die Zukunft des Hamburger Tourismus gesehen. Mit vielseitigen Projekten bearbeitet die HHT den Markt in China. Die bisherigen Maßnahmen konzentrieren sich auf die Finanzierung der Repräsentanz in Shanghai sowie gemeinsam mit der DZT und der Werbegemeinschaft der Magic Cities Germany auf eine Präsenz in Beijing. Besondere Bedeutung besitzt hierbei die Hamburg-Repräsentanz in Shanghai, die sich u.a. für die touristischen Interessen der Hansestadt Hamburg einsetzt. Über verschiedene Kommunikationskanäle soll ein positiver Einfluss auf den Bekanntheitsgrad und das Image Hamburgs ausgeübt werden. In Zusammenarbeit der HHT, der Hamburg-Repräsentanz Shanghai, der China-Kooperationsstelle und anderen wird das Projekt "Hamburger Tourismuspool für China" entwickelt, durch das Hamburg als attraktiver Standort für chinesische Touristen ausgebaut werden soll. Das Projekt soll im Oktober 2005 starten und das Ziel ist der Aufbau einer China-spezifischen Datenbank, China-spezifische Produktentwicklung, Knüpfung von strategischen Partnerschaften mit der Wirtschaft und Routenplanern sowie die Umsetzung von Marketingmaßnahmen (HHT et al. 2005e, S. 1) (siehe auch 5.1.3).

Weitere Kooperationen von der HHT in Bezug auf die Bearbeitung des chinesischen Marktes sind einerseits das Abkommen mit der Shanghai Tourismuskommission (STK) zur gegenseitigen Unterstützung von Tourismus und Destinationsmarketing, andererseits eine Kooperation mit dem, in Hamburg ansässigen, chinesischen Reise- und Incomingveranstalter Caissa Touristik (Group) AG. Dieses Unternehmen gründete im Jahr 2003 das "Training Institute for Chinese Speaking Tour Guides in Europe" zur Ausbildung von chinesischen Reiseleitern (WU Ping 2005).

Die Hansestadt Hamburg wird außerdem zusammen mit der Werbegemeinschaft der Magic Cities und dem Tourismusverband Deutsches Küstenland vermarktet. Ferner soll der Norden Deutschlands gemeinsam auf dem chinesischen Markt beworben werden, da die Vermarktung einer größeren Region für chinesische Urlauber mehr Wirkungskraft besitzt (Bunge 2005).

Auch auf der Bildungsebene mit dem Schwerpunkt Tourismus gibt es erste Abkommen zwischen Hamburg und China. Ein Projekt soll jungen chinesischen Hotelmanagern die Gelegenheit geben das deutsche Know-how des Hotelsektors in Hamburg kennen zu lernen und gleichzeitig den deutschen Nachwuchs für chinesische Hotelgäste ausbilden. Das große China-Engagement in Hamburg zeigt sich weiterhin in einem bilingualen chinesischen Schulzweig, einer Fakultät für chinesische Sprache und Kultur an der Universität Hamburg sowie vielen Schul- und Hochschulpartnerschaften zwischen Hamburg und China. Des Weiteren ist Hamburg Sitz eines chinesischen Generalkonsulats.

Die Gastfreundschaft zu China ist nicht nur auf politischer Ebene vorhanden, laut Expertenaussagen fühlen sich die chinesischen Touristen in der Regel sehr wohl in der Hansestadt. Hamburg wird als eine offene Stadt mit freundlichen und hilfsbereiten Menschen gesehen. Der Bürgermeister bezeichnete Hamburg einst als die "Burg der Chinesen", da es neben den vielen chinesischen Unternehmen auch eine große chinesische Gemeinde gibt. Die übrige Hamburger Bevölkerung zeigt ebenfalls Interesse an den Menschen und der Kultur des Reichs der Mitte. Viele Chinesen engagieren sich in Institutionen, um den Hamburgern die faszinierende Kultur Chinas näher zu bringen. Einen Rahmen hierfür bilden beispielsweise die Chinawochen mit etwa 100 verschiedenen Veranstaltungen (Max 2005, S. 2). Durch die besondere Beziehung zwischen Hamburg und seiner chinesischen Partnerstadt Shanghai sowie auch der Hamburg-Repräsentanz in Shanghai besitzt die Stadt eine sehr gute Ausgangsposition, die es für den Tourismus weiter auszubauen gilt (HHT 2005c, S. 1). Für die Entwicklung von passenden Produkten für den chinesischen Incomingtourismus und um die Potentiale der Stadt optimal zu nutzen, ist eine enge Kooperation zwischen den touristischen Partnern und der HHT notwendig (HHT 2005b, S. 8).

5.2.2 Image und Positionierung der Hansestadt Hamburg

Der Bekanntheitsgrad von Hamburg fällt in China sehr unterschiedlich aus. Während Geschäftsreisende mit internationalen Handelsbeziehungen und Teile der Shanghaier Bevölkerung ein Bild mit Hamburg verknüpfen können, ist die Stadt für den überwiegenden Anteil der chinesischen Bevölkerung und als Reiseziel kaum bekannt (Bunge 2005; Krause 2005; Max 2005). Wegen der intensiven Handelsbeziehungen zu China und der Bedeutung des Hamburger Hafens, wird Hamburg als Handels- und Hafenstadt gesehen. Den chinesischen Geschäftsleuten ist meist auch die Hamburger Reeperbahn ein Begriff. Durch die Vielzahl der chinesischen Unternehmen genießt Hamburg in Europa das Image als wichtigstes China-Zentrum, Chinas Tor zu Europa oder auch einfach als "Hanbao", das im Chinesischen soviel wie "Burg der Han (-Chinesen)" bedeutet (Dronski 2004, S. 3; Senatskanzlei der Freien- und Hansestadt Hamburg o. J., S. 1). Chinesische Besucher bezeichnen Hamburg als eine der schönsten großen Hafenstädte mit den elegantesten Einkaufsmöglichkeiten in Europa (Hamburg-Liaison Office Shanghai 2005b, S. 1). Das Stadtbild mit Alster und Elbe sowie die Vielzahl der städtischen Grünflächen faszinieren viele chinesische Besucher, gemeinsam mit dem wohlstandsausstrahlenden Stadtzentrum wird dem Gast der Eindruck hoher Lebensqualität vermittelt (Bunge 2005;Max 2005).

Das übergeordnete Leitbild für die Entwicklung der Hansestadt Hamburg ist "Metropole Hamburg-wachsende Stadt", hierunter fallen eine Vielzahl von Projekten, u.a. zur Steigerung des Wirtschafts- und Beschäftigungswachstums sowie auch die Zunahme an internationaler Attraktivität. In diesem Rahmen wird auch die Entwicklung des chinesischen Marktes für den Tourismus in Hamburg als sehr wichtig erachtet. Für die touristischen Quellmärkte wird die Hansestadt Hamburg jeweils unterschiedlich positioniert. Während die Positionierung der Stadt für den Schweizer Markt im Hochpreissegment angesiedelt ist, wird Hamburg hingegen für den chinesischen Markt im unteren Preissegment positioniert (Bunge 2005). Inhaltlich wird Hamburg vor allem mit den Themen Kulturreisen, Bildungsreisen und Geschäftsreisen auf dem chinesischen Markt präsentiert (HHT 2005c, S. 1).

Hamburg bildet das Zentrum Norddeutschlands und sieht sich mit seiner Tradition und Modernität als "Top of Germany" aufgrund der Lage der Metropole hoch im Norden mit exzellenter Qualität. Hamburg positioniert sich als internationale Weltstadt mit geschichtlichem, kulturellem und maritimen Bezug. Die Stadt wird als das Tor zum Norden sowie das Tor der Chinesen nach Europa dargestellt. Dieses soll neben der wirtschaftlichen Bedeutung deutlich machen, dass die Stadt gut mit anderen Reisezielen zu verbinden ist. Eine Vermarktung findet daher auch zusammen mit den Magic Cities und anderen Werbegemeinschaften statt (Bunge 2005). "Hamburg will nicht nur der bedeutendste Wirtschaftsstandort für China in Europa sein, sondern auch die chinafreundlichste Stadt" (HHT 2005c, S. 1). In Zukunft möchte sich Hamburg als das "Eingangsportal zu Europa" etablieren (HHT 2005a, S. 77).

Letztendlich soll es für Hamburg im chinesischen Markt nicht nur eine Positionierung geben, sondern die Stadt soll für die Routen chinesischer Besucher an unterschiedliche Themen angeknüpft werden (Bunge 2005). Als Tourismusstandort steht Hamburg für Chinesen aber weder bei Europa- noch bei Deutschlandreisen an vorderster Stelle. Der geringe Bekanntheitsgrad bei Privatreisenden ist auch auf das Fehlen eines einzigartigen Merkmals, wie z.B. des Eiffelturms in Paris, zurückzuführen. Aus diesem Grund besitzt Hamburg bisher keinen Hauptanziehungspunkt für chinesische Reisegruppen in Europa.

5.2.3 Ist-Analyse der touristischen Dienstleistungskette

Im Rahmen der touristischen Dienstleistungskette soll das bestehende Angebot für chinesische Touristen betrachtet werden, da der Aufenthalt in einer Destination vom Gast als eine Abfolge von Dienstleistungen wahrgenommen wird. Neben den bereits ausgeführten Veränderungen zur Anpassung der touristischen Dienstleistungen in der Hansestadt Hamburg, soll auch auf die bereits konkret geplanten Vorhaben eingegangen werden. In besonderem Maße wird hierbei das, von einigen China-Akteuren ins Leben gerufene, Projekt "Hamburger Tourismuspool für China" mit einbezogen.

5.2.3.1 Beförderung

Unter der Beförderung wird die An- und Abreise der chinesischen Gäste sowie auch der Transport vor Ort verstanden. Von besonderer Bedeutung ist der Flugverkehr, da die chinesischen Pauschaltouristen fast ausschließlich mit dem Flugzeug nach Europa reisen. Der Flughafen mit den vorhandenen Flugverbindungen kann als zentraler Punkt für den Incomingtourismus aus China gesehen werden. Der Flughafen Hamburg ist der fünft größte Flughafen in der Bundesrepublik Deutschland und bietet eine Vielzahl an Flugverbindungen vorwiegend in Europa. Zwischen der Hansestadt Hamburg und der Volksrepublik China besteht noch keine direkte Flugverbindung. Nach Expertenaussagen würde ein Direktflug mehr chinesische Gäste in die Hansestadt ziehen (Arlt 2005; Bunge 2005; Krause 2005; Max 2005; WU Ping 2005). Daher wird die Direktflugverbindung Shanghai-Hamburg angestrebt, die für den Ausbau des chinesischen Incomingtourismus nach Hamburg eine entscheidende Rolle spielen würde und die Beziehungen zum chinesischen Markt stärken soll (HHT 2005b, S. 6). Das Vorhaben wird im Rahmen der städtepartnerschaftlichen Verbindungen von Seiten der Shanghaier Stadtregierung unterstützt und die Realisierung scheint nur noch eine Frage der Zeit zu sein (HHT 2005c, S. 2). Die Direktflugverbindung besitzt erste Priorität bei den Projekten des Hamburger Senats, denn angesichts der wachsenden Konkurrenz in Deutschland ist eine schnelle Umsetzung nötig (HHT et al. 2005e, S. 1; Max 2005, S. 3). Eine Nonstop-Verbindung nach Hamburg ist auch bei der Planung von Reiserouten für chinesische Pauschalgruppen von großer Bedeutung (Bunge 2005) (siehe 5.2.4).

Der Hamburger Flughafen hat Anfang des Jahres 2005 ein neues Terminal eröffnet, weitere Umbaumaßnahmen sowie vermehrte Einkaufsmöglichkeiten und eine U-Bahn-Anbindung sind in Arbeit. Die Durchsagen und Ausschilderungen am Flughafen sind auf Deutsch und Englisch vorhanden. Im Rahmen des Projektes "Hamburger Tourismuspool für China" ist die Erstellung eines chinesischen Flughafen Guides und einer Imagebroschüre für die Hansestadt Hamburg geplant. Anhand dieser Broschüre können sich die chinesischen Touristen bereits auf dem Hinflug über den Flughafen Hamburg und wichtige Adressen in der Stadt, wie

Shopping, Sehenswürdigkeiten und Restaurants, informieren (HHT et al. 2005f, S. 2).

Die Rundreise wird überwiegend in Reisebussen durchgeführt. Da der Aufenthalt in Hamburg ein Reisestopp entlang der Reiseroute ist, werden keine Reisebusse vor Ort benötigt. In der Stadt wären jedoch ohne weiteres Unternehmen mit qualitativ hochwertigen Reisebussen vorhanden. In Hamburg wird für längere Distanzen der bereits vorhandene Reisebus genutzt und kurze Distanzen zu Fuß zurückgelegt. Öffentliche Verkehrsmittel werden von den Reisegruppen hingegen kaum genutzt. Aus diesem Grund fällt dem öffentlichen Transportwesen nur eine geringe Beachtung im Rahmen dieser Arbeit zu. Höchstens die Beschilderung und Durchsagen auf Englisch an den Bahnsteigen sowie in den Transportmitteln wären von Bedeutung.

5.2.3.2 Information vor Ort

Bei den Informationen vor Ort fällt dem Reiseleiter eine sehr bedeutende Rolle zu, da die Reisegruppen aus China auf Auslandsreisen rundum von diesem betreut werden (siehe 3.4.3). Die HHT führt in Kooperation mit der STK Reiseleiterschulungen für Chinesen für Europa durch und versorgt die Reiseleiter mit geeigneten Informationen über die Hansestadt (HHT 2005b, S. 5). In Zukunft soll außerdem ein Leitfaden über Hamburg als Unterstützung für Gästeführer entworfen werden (HHT et al. 2005e, S. 3).

Der Internetauftritt einer Destination dient für chinesische Pauschaltouristen in erster Linie der Informationsbeschaffung vor Reisebeginn. Dem Internetauftritt fällt somit bei der Informationssuche vor Ort nur eine geringe Bedeutung zu, besitzt sehr wohl aber einen großen Einfluss auf den Bekanntheitsgrad und das Image der Destination (Arlt 2005; WU Ping 2005). Auf der Homepage über den Tourismus in Hamburg sind z.Z. nur Angaben zu den Sehenswürdigkeiten der Hansestadt ins Chinesische übersetzt sowie Informationen über Museen und sehenswerte Stadtteile zu finden (Sommer 2004, S. 3).

Bei chinesischen Pauschalreisenden sind Informationen in chinesischer Sprache eine wesentliche Voraussetzung für das Verständnis der deutschen

Kultur und Mentalität. Ende des Jahres 2003 wurde eine umfassende Analyse des gesamten chinesischsprachigen Hamburg-Materials vorgenommen. Als Ergebnis wurde eine Liste erarbeitet, die Standards für Übersetzungen Hamburg-spezifischer Begriffe ins Chinesische festgelegt (Krause o. J., S. 2). Weiterhin gibt es in Hamburg seit dem Jahr 2003 so genannte Willkommen-Info-Guide-Plakate, die an zehn touristisch interessanten Standorten aufgestellt sind (Sommer 2004, S. 3). Die Plakate dienen der Begrüßung und Orientierung von Touristen in der Hansestadt. In fünf Sprachen, darunter auch Chinesisch, wird auf Sehenswürdigkeiten oder Standorte von Touristeninformationen hingewiesen. Aufgestellt sind diese z.B. am Rathausmarkt oder an den Landungsbrücken, jedoch sind die Willkommen-Info-Guide-Plakate nicht immer gleich ersichtlich und enthalten nur den Namen der touristischen Attraktion. Auch der nächste Standort einer Touristinformation sowie Abfahrten von Stadt- oder Hafenrundfahren ist angegeben und der Weg wird anhand einer graphischen Darstellung verdeutlicht (siehe Anhang 5a).

Im Jahr 2003 wurde ein chinesischsprachiger Stadtplan mit Tipps von A-Z produziert, der in den Touristeninformationen erhältlich ist (siehe Anhang 5b). Der Stadtplan sowie die Streckennetzkarte des Hamburger Verkehrsverbundes (HVV) beinhalten keine chinesischen Zeichen. Die, dem Stadtplan beigefügten, Tipps und Adressen in der Hansestadt Hamburg sowie Informationen über Öffnungszeiten, Eintrittspreise und Verkehrsanbindungen mit öffentlichen Verkehrsmitteln sind in die chinesische Sprache übersetzt. Auf dem Deckblatt des Stadtplans befindet sich eine Servicehotline, die Ansagen finden allerdings ausschließlich auf Deutsch statt. Auskünfte in chinesischer Sprache stehen nicht zur Verfügung.

Weiterhin gibt es eine chinesische Hamburg-Karte, die nach chinesischem Geschmack gestaltet wurde. Die Karte wurde von der Hamburg-Repräsentanz Shanghai entworfen und auf der größten Tourismusmesse in China als Werbeprodukt für Hamburg eingesetzt (Hamburg-Repräsentanz Shanghai 2005b, S. 1). Die chinesische Hamburg-Karte ist ein sehr gutes Beispiel der Produktanpassung, da sich diese an den Interessen chinesischer Touristen orientiert. Die Hamburg-Karte dient lediglich der Information über wichtige touristische Highlights in Hamburg und Umgebung, nicht aber der Orientierung in der Stadt. Die Attraktionen enthalten chinesische Schriftzeichen und werden auf der Rückseite in Chinesisch erklärt (Hamburg-Repräsentanz Shanghai 2005b) (siehe Anhang 6). Anhand der Hamburg-Karte können sich die chinesischen Touristen über Highlights der Stadt informieren. Im Rahmen des "Hamburg Tourismuspool für China" ist eine Neuauflage der innovativ gestalteten chinesischen Hamburg-Karte geplant (HHT 2005f, S. 2).

Im Jahr 2002 wurde erstmals die chinesische Imagebroschüre "Travel Guide Germany" herausgegeben. Sie beinhaltet Informationen über beliebte Reiseziele von chinesischen Touristen in Europa. Im Rahmen des Projektes "Hamburg Tourismuspool für China" ist eine Info-Guide-Serie für Hamburg geplant. Es soll ein chinesischer Guide, der "China-Knigge", für Hamburg als das Tor nach Europa entwickelt werden. Der Guide soll chinesischen Besuchern kulturelle und kulinarische Besonderheiten erklären und somit näher bringen. Neben Essen und Gastronomie in Hamburg wird auch auf die europäische Küche und Kultur eingegangen. Für spezielle Interessen sollen in Zukunft Themenreiseführer und Infohefte über z.B. Hamburg als Sportstadt und Kulturmetropole auf Chinesisch herausgegeben werden (HHT et al. 2005f, S. 2). Seit Mitte des Jahres 2004 gibt es speziell für Architektur-Interessierte eine englisch-chinesische Broschüre mit dem Titel "Made in Hamburg-New German Architecture" (Hamburg-Repräsentation Shanghai 2004, S. 1).

5.2.3.3 Beherbergung und Verpflegung

Die Übernachtungen von chinesischen Reisegruppen finden bei einer Europareise in 3- bis 5-Sterne-Hotels statt. Überwiegend wird bei Pauschalreisen an der Übernachtung zugunsten eines geringeren Gesamtreisepreises gespart. Daher ist die Tatsache der hohen Reiseausgaben von chinesischen Touristen für die Hotellerie nicht zutreffend. Trotzdem fällt der Beherbergung für die Zufriedenheit des chinesischen Gastes eine große Bedeutung zu und es sind zahlreiche Besonderheiten zu beachten (siehe auch 3.4.4).

Die HHT hat aus diesem Grund in Zusammenarbeit mit der Caissa Touristik (Group) AG im Frühjahr des Jahres 2005 zwei Hotelschulungsseminare veranstaltet. Eingeladen waren vor allem Mitarbeiter der Hamburger Hotellerie, die in direktem Kontakt zu den Hotelgästen stehen, wie beispielsweise das Empfangspersonal. Inhalte der Seminare waren Informationen zum Umgang und der Erwartungshaltung der chinesischen Touristen gegenüber Service und Leistung sowie Informationen zu Fettnäpfchen und Vorlieben dieses Gästekreises (HHT 2005b, S. 6). Von der Hamburger Hotelfachschule wird darüber hinaus ein Praktikantenaustausch zwischen Shanghai und Hamburg betrieben sowie Fortbildungsveranstaltungen angeboten, um hochqualifiziertes Hotelpersonal für den chinesischen Incomingtourismus auszubilden (HHT 2005b, S. 6). Als Vorbild für die Hamburger Hotellerie dienen zwei Hotels der Accor-Kette in Hamburg, das Mercure Hotel Hamburg Airport Nord und das Novotel Hamburg Arena, die bereits spezielle Maßnahmen für die Anpassung des Services auf die Bedürfnisse chinesischer Hotelgäste treffen (siehe auch 5.3.2.2). Auch einige 5-Sterne-Hotels haben begonnen sich auf chinesische Gäste einzustellen, indem sie z.B. chinesisches Frühstück anbieten (Maunder 2004a, S. 4). Zur Verbesserung des Services in den Beherbergungsbetrieben der Hansestadt Hamburg soll ein China-Handbuch für Hamburger Dienstleister mit Schwerpunkt auf Hotellerie und Gastronomie entwickelt werden. Der Leitfaden soll den touristischen Dienstleistern helfen, die chinesischen Gäste in Zukunft noch kundenorientierter zu empfangen (HHT et al. 2005e, S. 3).

Das chinesische Essen besitzt eine wesentliche Bedeutung für chinesische Touristen und auf einer Rundreise wird die eigene Küche gegenüber europäischen Speisen bevorzugt. Dieses resultiert daraus, dass einerseits die im Vergleich deftige deutsche Küche oft ungewohnt für den chinesischen Magen ist und ihnen andererseits häufig der Zugang zu den europäischen Speisen fehlt. Jedoch sind chinesische Touristen neugierig auf die westliche Kultur, zu der auch das Erleben des kulinarischen Angebots gehört. Aus diesem Grund planen die Hamburger China-Akteure einen "Food & Lifestyle Guide Europe" für Chinesen. Der Guide soll den chinesischen Gästen helfen mit europäischer Esskultur umzugehen und eine kurze Einführung in kulinarische Spezialitäten, Essen, Trinken, Genießen und Lifestyle in Europa bieten. Ein besonderer Schwerpunkt wird hierbei auf die kulinarischen Seiten Hamburgs gelegt (HHT 2005f, S.2). Die Hansestadt bietet den chinesischen Gästen zudem eine gute Auswahl an heimatlicher Kost, da es mehr als 300 chinesische Restaurants in der Stadt gibt (Freie- und Hansestadt Hamburg o. J., S. 1; Maunder 2005a, S. 4).

5.2.3.4 Attraktionen und Unterhaltung

Bei einem Aufenthalt in Hamburg beruhen die Motive vor allem auf Sightseeing und Shopping. Die Stadtrundfahrt stellt einen wesentlichen Bestandteil des Programms dar. Aus diesem Grund werden Stadtrundfahrten für Gruppen auch auf Chinesisch angeboten (HHT 2005d, S. 16). Es werden die klassischen Attraktionen von Alster, Rathaus und Jungfernstieg in der Innenstadt, die Elbchaussee mit ihren noblen Villen sowie der Hafen angefahren. In Hafennähe werden typische Hanseatische und als architektonische Besonderheiten der Stadt geltende Gebäude, wie das Chilehaus und die Speicherstadt, als der längste zusammenhängende Lagerhauskomplex der Welt, gezeigt. Aber auch die St. Michaelis Kirche, bekannt als der "Michel" und das Wahrzeichen Hamburgs, steht auf dem Programm. Weiterhin sind Hafen- und Alsterrundfahrten beliebt bei den chinesischen Hamburg-Besuchern, diese finden hingegen nur auf Deutsch oder Englisch statt (HHT 2005d, S. 16). Außer den Willkommen-Info-Guide-Plakaten gibt es in der Stadt nur einige Englische, aber keine weitere chinesische Beschilderung. In Planung ist, ausgewählte touristische Objekte mit einer China-spezifischen Beschilderung zu versehen (HHT et al. 2005e, S. 3).

Anhand der chinesischen Hamburg-Karte werden Highlights aus chinesischer Sicht dargestellt (siehe Anhang 6). Die Chinesen reisen gerne auf den Spuren berühmter Persönlichkeiten. Von Interesse ist hierbei Hamburg als Geburtsstadt von Brahms und als die Stadt, in der die Beatles ihren ersten großen Auftritt hatten. Auch suchen die Chinesen auf Reisen gerne nach den Elementen ihrer eigenen Kultur. Besondere Bedeutung fällt hier Friedrichsruh in der Umgebung von Hamburg zu. Dort findet sich in einer Ausstellung, der Besuch eines wichtigen chinesischen Reisenden, dem damaligen Vizekönig Li Hongzhang, dokumentiert. 1896 besuchte dieser den ehemaligen Reichskanzler Bismarck. Das Zusammentreffen gilt als Meilenstein der deutsch-chinesischen Verbindung. Weitere Highlights auf der chinesischen Hamburg-Karte sind u.a. die Vergnügungsmeile auf St. Pauli, der maritime Flair von Alster und Elbe und natürlich Shopping (Hamburg-Repräsentanz Shanghai 2005b). Das Einkaufen steht bei einem Hamburgbesuch im Vordergrund und besitzt größere Bedeutung als das Sightseeing (Maunder 2004b, S. 4).

Die chinesischen Touristen interessieren sich auf einer Reise durch europäische Länder insbesondere für Superlative und berühmte Attraktionen (siehe 3.4.3). Hamburg bietet für chinesische Pauschalreisende kein hervorstechendes, einzigartiges Merkmal, wie beispielsweise Berlin mit dem Brandenburger Tor oder das Geburtshaus von Karl Marx in Trier.

Besonderes Interesse wurde an zukünftigen Hamburger Kulturhighlights, wie beispielsweise der Elbphilharmonie, geäußert. Am großen Interesse an der Sportstadt Hamburg wurde auf der Tourismusmesse in Shanghai zudem die Sportbegeisterung vieler Chinesen deutlich. Durch die Fußball-WM 2006 wird Hamburg weiter an Bekanntheit bei der fußballinteressierten Bevölkerung Chinas gewinnen (HHT 2005c, S. 2). Der Grundstein für eine weitere architektonische Attraktion soll im Herbst 2006 gelegt werden. In Kooperation mit der STK soll ein chinesisches Teehaus am Museum für Völkerkunde gebaut werden. Die Sehenswürdigkeit ist u.a. für chinesische Besucher interessant, da es als Plattform für den Kontakt zwischen chinesischen Gästen, Überseechinesen und anderen Einwohnern der Hansestadt Hamburg dienen könnte (HHT 2005b, S. 6). In anderen Städten gibt es bereits ähnliche Projekte, die auch bei der einheimischen Bevölkerung auf große Zustimmung stießen (Krause 2004a, S. 1).

Für die Unterhaltung bietet Hamburg eine Vielzahl von Angeboten über Konzerte mit klassischer Musik bis hin zu Glücksspiel in Kasinos. Vor allem die Amüsiermeile auf St. Pauli mit der Reeperbahn steht bei einem Besuch auf dem Programm. Allerdings hat diese für Pauschaltouristen eine weitaus geringere Bedeutung als für die chinesischen Geschäftsleute. Musical und

Theater besitzen, aufgrund der sprachlichen Barrieren, für die Unterhaltung chinesischer Reisegruppen wenig Relevanz.

Zur Unterhaltung zählt auch das Kosten von unterschiedlichen deutschen Biersorten, wofür einige Brauhäuser zur Verfügung stehen. Dieser Bereich ist wenig auf chinesische Pauschalgruppen ausgerichtet. Es finden allerdings einmalige China-spezifische Events für die Einwohner der Hansestadt statt. Als Beispiel kann die Feier des chinesischen Frühlingsfestes auf spielerische Weise inklusive Unterhaltungsprogramm in der Spielbank Hamburg oder das Fußballländerspiel im Oktober 2005 der Nationalmannschaften von China und Deutschland angeführt werden (Hamburg-Repräsentanz Shanghai 2005c, S. 3; Krause 2005, S. 2).

5.2.3.5 Shopping und Souvenirs

Auf einer Europareise werden von chinesischen Touristen besonders gerne Markenwaren des jeweiligen Landes sowie auch andere prestigeträchtige Mitbringsel gekauft. Die Souvenirs müssen dabei keinen Hamburg-Bezug haben, sondern sollen in der Heimat Anerkennung finden. In Hamburg sind vor allem die Markenartikel von dort ansässigen Firmen gefragt. Im Vordergrund stehen die Produkte von Firmen wie Montblanc, Tom Taylor und Nivea. Shopping stellt für die chinesischen Touristen einen großen Anreiz in Hamburg dar. Die Hansestadt bietet eine Vielzahl an Luxusgeschäften und weltbekannte Marken, auch die lebhafte Mönckebergstraße trägt einen Teil zur Attraktivität des Einkaufens bei. Auf der anderen Seite wird die Hansestadt aber als eine reiche Handelsstadt mit hohen Preisen angesehen.

Als weiteres Werbeprodukt mit Souvenircharakter wurde von der Hamburg-Repräsentanz Shanghai ein Kartenspiel mit attraktiven Hamburg-Motiven entworfen. Jede der 54 Spielkarten ist mit einer Hamburger Sehenswürdigkeit sowie einem passenden chinesischen Slogan versehen (Hamburg-Repräsentanz Shanghai 2005b, S. 1). Bisher ist das Kartenspiel für die spielfreudigen Chinesen nur auf den Reisemessen in China erhältlich.

Eine Vorreiterrolle im Hamburger Einzelhandel besitzt Juwelier Wempe. Bewusst werden chinesische Touristengruppen in das Geschäft eingeladen. Der Besuch des Juweliers wird in das Gruppenprogramm integriert und für

Beratungsgespräche ist chinesisch sprechendes Personal vorhanden. Die chinesischen Gäste sind in der Regel sehr ausgabefreudig, sodass spezielle Gruppenrabatte für die chinesischen Pauschaltouristen angeboten werden. Das Geschäft lohnt sich für beide Parteien.

Weiterhin ist ein Shoppingpass für chinesische Touristen, ein Leitfaden für die Anbieter von Einkaufsmöglichkeiten und die Intensivierung China-freundlicher Dienstleistungen geplant. Der China-spezifische Shoppingpass soll in Kooperation mit dem Einzelhandel entwickelt werden und den chinesischen Gästen sowie Reiseveranstaltern Anreize geben, Hamburg in die Reiseroute zu integrieren (HHT et al. 2005f, S. 2).

5.2.4 Packages

Die chinesischen Pauschalreisenden beziehen die touristischen Dienstleistungen bei einer Europareise nicht einzeln bei den verschiedenen Leistungsträgern, sondern buchen im Voraus eine vollständige Reise bei der alle Leistungen pauschal im Preis enthalten sind. Die Pauschalreise stellt eine Sonderform des Packages dar, denn unter einem Package werden mindestens zwei kombinierte Leistungen, wie beispielsweise Transport in das Zielgebiet und der Unterkunft, verstanden. Der Aufenthalt in der Hansestadt Hamburg ist ein Teilstück der Pauschalreise und besteht aus mehreren touristischen Leistungen. In der Destination kann die Gesamtheit der Leistungen als ein Package für den Aufenthalt angeboten werden. Im Auslandsmarketing fällt der Entwicklung von attraktiven Themenreisen und Reiserouten eine besondere Bedeutung zu, da Europa von den chinesischen Touristen als eine Destination gesehen wird. Speziell für den chinesischen Markt ist es wichtig, die Stadt Hamburg in attraktive Reiserouten zu integrieren, um die Bekanntheit und Besucherzahlen vor Ort zu steigern (Bunge 2005).

Zum heutigen Zeitpunkt existieren in Hamburg weder spezielle Produkte, noch Packages für chinesische Touristen (Andreeßen 2005). Es ist wichtig, attraktive Programme für den Aufenthalt in Hamburg zu entwickeln. Angestrebt wird hier die Gestaltung 1- bis 3-Tagesprogramme für chinesische Gäste sowie die Durchführung von standardisierten

Stadtrundführungen (HHT et al. 2005e, S. 3). Außerdem muss Hamburg in Reiserouten und Themenreisen integriert werden. Bisher ist die Stadt nur bei einer geringen Anzahl von Routen Bestandteil einer Europareise für chinesische Pauschaltouristen. Die Rundreisen bei denen Hamburg integriert ist, sind entweder mit Berlin oder einer Route durch die Magic Cities verbunden. Für die Zukunft wird es als wichtig erachtet, Packages zu entwickeln, bei denen die Stadt zu unterschiedlichen Themen mit anderen Reisezielen verknüpft wird. Routen und Themenreisen mit Hamburg als Teilelement sind erst in der Entwicklung. Anhand dieser soll Hamburg auf der touristischen Landkarte positioniert werden, sodass bei chinesischen Reiseveranstaltern und potentiellen Touristen mehr Anreize geschaffen werden, die Stadt zu besuchen (Bunge 2005). Mit dem angestrebten Direktflug aus Shanghai soll Hamburg als Start- und Endpunkt von Themenreisen und Reiserouten dienen, um weiterhin die Attraktivität Hamburgs als Reiseziel zu steigern (HHT et al. 2005e, S. 2).

Voraussetzung für die Entwicklung von Routen ist die Schaffung von Partnerschaftskooperationen in der Wirtschaft und zwischen Routenplanern. Hierbei sollen entsprechende Partnerschaften in Nordeuropa, Norddeutschland und insbesondere auch in der Metropolregion Hamburg unter dem Motto "Den Norden stärken" entwickelt werden. Als Themenreisen stehen besonders Städte- und Kulturreisen im Vordergrund. Angedacht sind weiterhin Themen, wie Shopping, Sport, "Technical Visits" und Bildung, die auf Hamburg-spezifischen Kompetenzfeldern beruhen. Aber auch andere Programme zu unterschiedlichen Themen sollen durch die Kooperation mit der DZT, den Magic Cities oder dem Deutschen Küstenland entwickelt werden. Im Vergleich zu den Routenverbindungen süddeutscher Reiseziele besteht für Hamburg noch Nachholbedarf. In Norddeutschland sollen, gemeinsam mit den Städten Lübeck, Schwerin, Bremen und Hannover, Themenreisen und Routen geplant werden. Schon die chinesische Hamburg-Karte soll deutlich machen, dass Hamburg gut mit Lübeck und Schwerin als Städte mit Historie, zu Berlin als Hauptstadt und anderen berühmten Metropolen wie London, Paris und Amsterdam zu verbinden ist (Bunge 2005).

5.3 Best Practice für den chinesischen Incomingtourismus

Als "best practice" werden vorbildliche Lösungen oder Verfahrensweisen bezeichnet, die zu Spitzenleistungen führen. Dabei werden keine theoretischen Konzepte, sondern Praxiserfahrung gesucht. Best Practice ist die Orientierung an der Umsetzung in der Praxis von erfolgreichen Anwendern oder Organisationen, oft auch Konkurrenten, zur Erreichung der angestrebten Ziele (Krems 2003).

Mit der Entstehung des "European Chinese Tourist Welcoming Award" im Jahr 2004 wurde bereits ein wichtiger Schritt in Richtung eines besseren Service für den chinesischen Incomingmarkt in Europa getan. Dieser Preis wird jedes Jahr in fünf verschiedenen Kategorien an touristische Dienstleister verliehen, die in Bezug auf die Leistungen für den chinesischen Incomingtourismus ein Best Practice Beispiel darstellen (Arlt 2005, S. 7). In diesem Abschnitt werden u.a. einige Award-Gewinner als Best Practice herangezogen, die im Bereich der Produktanpassung als Vorbilder gesehen werden können. Im Folgenden werden besonders vorbildliche Leistungsträger einer Destination vorgestellt, um deren Maßnahmen später bei den Handlungsempfehlungen für die Hansestadt Hamburg zu berücksichtigen. Im Rahmen der Packages wird ausschließlich auf beispielhafte Reiserouten eingegangen, da in Destinationen bisher überwiegend einzelne touristische Leistungen für die Zielgruppe angeboten werden und daher in diesem Bereich kein Best Practice ausfindig gemacht werden konnte.

5.3.1 Erfolgreiche Positionierungsstrategien

Eine erfolgreiche Positionierungsstrategie auf dem chinesischen Markt verfolgt die Stadt Heidelberg. Aufgrund der geographischen Lage und der touristischen Attraktionen weist die Stadt zudem ideale Voraussetzungen für den chinesischen Incomingtourismus auf. Die Positionierung Heidelbergs für chinesische Touristen beruht auf der Verkörperung von Romantik. Durch die Positionierung werden die Vorzüge der Stadt hervorgehoben und die Superlative, wie das berühmte Schloss, die älteste Universität Deutschlands, die malerische Altstadt mit der alten Brücke und dem Philosophenweg, einem der schönsten Ausblicke Europas sowie die vielen Geschäfte in der längsten Fußgängerzone Deutschlands, betont. Wie Hamburg, wurde Heidelberg bereits vor den ADS-Abkommen häufig von chinesischen Geschäftsleuten aufgesucht. Heidelbergs Weltruf in den Bereichen Wirtschaft, Forschung und Wissenschaft bildet das zweite Standbein bei der Positionierung im chinesischen Markt. Der Fokus liegt hier auf den "Technical Visits" zu herausragenden Unternehmen in der Stadt verknüpft mit Sightseeing. Heidelberg vermittelt den chinesischen Touristen mit der Positionierung ein klares Bild der Stadt und hebt sich durch einzigartige Merkmale positiv von den konkurrierenden Reisezielen ab.

Als weiteres positives Beispiel kann nach Expertenaussagen die Stadt Hameln angeführt werden. Hameln positionierte sich schon früh mit Erfolg auf dem chinesischen Markt. Den Namen der Stadt können sich Chinesen nicht merken, wohl aber das Symbol des, in China zum Flötenspieler gewordenen, Rattenfängers. Die Stadt weist zwar nicht die meisten Besucherzahlen auf, doch ist der Flötenspieler ein relativ bekanntes Symbol für einen Ort in Deutschland (Arlt 2005). Neben Einzigartigkeit bietet die Positionierung viel Potential, da der Flötenspieler mit den Interessen chinesischer Pauschaltouristen, wie beispielsweise Geschichte, Kultur, klassischer Musik und Souvenirs verbunden werden kann. Von großer Bedeutung ist ein eindeutiges, möglichst einzigartiges Image, das den chinesischen Touristen ein visuelles Bild vermittelt und ein einzigartiges Erlebnis verspricht.

Unterschiedliche Positionierungen in Bezug auf das Preissegment für chinesische Pauschaltouristen sind weder bei Heidelberg noch bei anderen Zielgebieten auszumachen. Dieses beruht auf dem relativ jungen chinesischen Incomingtourismus von Pauschaltouristen in Europa. Die Zielgruppe besteht überwiegend aus kaufkräftigen Gästen, die jedoch eine hohe Preissensibilität aufweisen. Eine Europareise gilt bei chinesischen Touristen bereits als teuer und die Bedürfnisse des Zielsegments sind in Bezug auf den Preis noch nicht diversifiziert. Bei der Positionierung orientieren sich die Zielgebiete an den Kernkompetenzen sowie den

Bedürfnissen der Zielgruppe, um sich auf diese Weise entlang der Route chinesischer Reisegruppen etablieren zu können.

5.3.2 Best Practice in der touristischen Dienstleistungskette

In Rahmen dieses Abschnitts werden Maßnahmen für den chinesischen Incomingtourismus von touristischen Leistungsträgern dargestellt, die als Best Practice Beispiele angesehen werden können. Anhand der Dienstleistungskette werden ausgewählte Leistungsträger näher betrachtet.

5.3.2.1 Beförderung und Information vor Ort

Bei der Beförderung ist in einer Region die Anbindung über den Flughafen sehr bedeutungsvoll. Der Flughafen München unternimmt bereits sehr viele Aktivitäten in Bezug auf den chinesischen Markt und wurde im Jahr 2005 beim European Tourist Welcoming Award mit Gold für die beste Marketingleistung ausgezeichnet. In diesem Sinne wird der Flughafen München als Best Practice bei der Beförderung herangezogen. Neben zahlreichen Aktionen in der Kommunikations- und Vertriebspolitik soll an dieser Stelle ausschließlich auf die Aktivitäten der Produktanpassung mit Fokus auf chinesische Pauschaltouristen eingegangen werden.

Als wesentliche Voraussetzung sind zuerst die Direktverbindungen des Flughafens nach Beijing, Guangzhou und Hongkong zu nennen. Im Jahr 2004 wurden von der Lufthansa zwei Nonstop-Flüge von München nach Guangzhou und Beijing aufgenommen, ein weiterer Flug von Beijing folgte im Spätsommer von Air China. Zu dem jeweils ersten Flug der Direkt-Verbindungen von Beijing und Guangzhou nach München organisierte der Flughafen eine Willkommensparty. Ungefähr zeitgleich erwarteten die Gäste aus dem Reich der Mitte chinesisch sprechende Begrüßungskomitees am Flughafen, um auf dem Weg zu Weiterflügen oder ins Hotel behilflich zu sein. Auch der Flughafen Frankfurt bietet diesen Service an (Pötsch 2004, S. 16; o. V. 2004, S. 1). Anfang des Jahres 2004 wurden zwei Broschüren, die Flughafen München Informationen und der Flughafen München Guide, auf Chinesisch herausgebracht. In Kooperation von Lufthansa und dem Flughafen München wird den chinesischen Besuchern bereits beim Check-In an den Flughäfen in Beijing, Shanghai und Hongkong ein chinesischsprachiger Mini-Guide für den Flughafen in München angeboten. Reisende können sich außerdem auf der Homepage in chinesischer Sprache über die wichtigsten Gegebenheiten am Flughafen informieren. Im Jahr 2004 begrüßte der Flughafen München die erste Reisegruppe mit ADS-Visum aus China mit einem Event am Flughafengate (Pötsch 2004, S. 2-19). Aber auch über die Leistungen am Flughafen hinaus werden Maßnahmen getroffen, um sich besser auf die chinesischen Gäste vorzubereiten. In Kooperation mit der Pacific Asia Travel Association[2] (PATA) wurde ein Seminar durchgeführt, um die Tourismusindustrie in München und dem Bundesland Bayern über den chinesischen Incomingtourismus zu informieren. Der Flughafen besitzt zudem ein eigenes Büro in Beijing, um engen Kontakt zur Reiseindustrie in China und ihren Interessen zu pflegen (Pötsch 2004, S. 2-19).

Im Bereich der Informationen vor Ort sind von einigen großen deutschen Städten Informationen über die Stadt auf Chinesisch im Internet zu finden. Auch Stadtpläne sowie Stadtführungen werden in den häufig von Chinesen besuchten Städten auf chinesischer Sprache angeboten. Nach Expertenaussagen stehen in Paris bereits Bootsfahrten auf der Seine mit chinesischen Ansagen zur Verfügung (Arlt 2005). In diesem Bereich konnte jedoch kein eindeutiges Best Practice Beispiel ausfindig gemacht werden, denn es ist die Frage, inwieweit die Inhalte der vorhandenen Angebote wirklich an die Bedürfnisse angepasst oder einfach wörtlich in das Chinesische übersetzt wurden.

5.3.2.2 Beherbergung und Verpflegung

In der Beherbergungsindustrie, wobei an dieser Stelle ausschließlich die Hotellerie gemeint ist, werden verschiedene Maßnahmen getroffen, um sich auf die Besucherströme aus China vorzubereiten. Viele Hotels haben Erfahrungen mit chinesischen Geschäftsleuten gesammelt. Seit die Entwicklung des chinesischen Incomingtourismus immer viel versprechender wird, versucht die Hotellerie den Service in den Hotels der neuen Zielgruppe anzupassen. Im Bereich der Beherbergung gibt es gleich mehrere sehr gute Beispiele in Bezug auf den chinesischen Markt. Als Best

---

[2] Gemeinnützige Gesellschaft zur Förderung des Asien-Pazifik-Tourismus

Practice wird in dieser Arbeit die Hotelkette Accor herangezogen, die seit Bestehen des ECTW in beiden Jahren mit einem Preis ausgezeichnet wurde. Weiterhin soll die Hotellerieswiss, Gold-Gewinner des ECTW-Awards für die beste Personalentwicklung in 2005, angeführt werden sowie das Handbuch "Andere Länder-Andere Sitten" des Bayrischen Hotel- und Gaststättenverbands. Zur Schulung des Hotelpersonals in Bezug auf die Bedürfnisse und Erwartungen chinesischer Gäste können zudem die Hotelseminare der HHT als ein Vorbild für andere Destinationen angesehen werden (siehe auch 5.2.3.3).

Als beispielhaft für die Vorbereitung auf den chinesischen Markt wird in der Hotelbranche die Accor-Gruppe gesehen. Seit Anfang 2005 bieten 24 Hotels in Deutschland spezielle Leistungen an, die auf die Bedürfnisse der Chinesen angepasst wurden. Der Hoteldirektor und das Personal werden über die Verhaltensweisen, Vorlieben und Erwartungen chinesischer Gäste informiert und trainiert, wie diese bestmöglich zu erfüllen sind. Unterstützend gibt es eine Broschüre, die Accor "Chinese Optimum Service Standards". Die Servicestandards für chinesische Gäste beinhalten weiterhin chinesisch sprechendes Personal, Speisekarten und Übersichten des Serviceangebots auf Chinesisch sowie chinesische Zeitungen für die Gäste. Auf den Zimmern steht den Besuchern der chinesische Fernsehkanal "Phoenix" zur Verfügung, zudem werden bestimmte Teesorten und entweder ein Wasserkocher im Zimmer oder Anlaufstellen für heißes Wasser bereitgestellt. Das wichtigste Angebot aber ist das chinesische Frühstück mit Reis und Suppen. Für die Zubereitung erhalten die Küchenchefs spezielle Kochkurse (Yiu 2005, S. 2-4; Ellrodt 2004, S. 2; o. V. 2004, S. 1). Ellrodt, der Chief Representative des Hotel Reservation Service Shanghai, stellt dabei fest, dass viele der Angebote einfach und kostengünstig zu verwirklichen sind (2004, S. 2).

Anhand der Leitfäden von der Hotellerieswiss und dem Bayrischen Hotel- und Gaststättenverband wird eine gute Hilfestellung gegeben, um sich auf den chinesischen Markt einzustellen. Der Guide der Hotellerieswiss gibt einen kurzen Überblick über Land, Leute und die kulturellen Besonderheiten in der Volksrepublik China sowie interkulturelle Verhaltenstipps und

Informationen über das Freizeitverhalten der Chinesen. Außerdem findet sich ein Abschnitt über die Schweiz als Destination für chinesische Besucher.

Das Handbuch des Bayrischen Hotel- und Gaststättenverbandes hingegen geht gezielt auf das Verhalten chinesischer Besucher ein und hebt die Unterschiede der chinesischen und deutschen Verhaltensweisen hervor. Weiterhin werden Empfehlungen zur Vorbereitung und Umgang mit den Gästen gegeben und es wird eine Checkliste zu den wichtigsten Ratschlägen geboten. Das Handbuch gibt auch einen guten Überblick zum Thema Verpflegung, denn hier sind einige Besonderheiten zu beachten (siehe auch 3.3.3). Zudem ist eine Auswahl an guten chinesischen Restaurants in einer Destination von Vorteil.

5.3.2.3 Attraktionen und Unterhaltung

Bekannte Attraktionen einer Destination sind der wichtigste Anziehungspunkt für chinesische Touristen. In diesem Bereich war kein herausragendes Best Practice Beispiel ausfindig zu machen. Aus diesem Grund soll auf einige erfolgreiche Attraktionen und Maßnahmen eingegangen werden, um auf diese Weise die Vorlieben und Hintergründe der chinesischen Besucher deutlich zu machen. Herangezogen werden bei den Attraktionen das Geburtshaus von Karl Marx in Trier und die Stadt Heidelberg sowie Touristenattraktionen in Melbourne. Letztere wurden ausgewählt, da Australien bereits seit längerer Zeit von chinesischen Touristen als Urlaubsziel bereist werden darf. Auf eine beliebte Aktivität der chinesischen Gäste, das Shopping, wird erst im folgenden Abschnitt eingegangen. Für die Unterhaltung von chinesischen Besuchern wird eine Spezialveranstaltung des Kölner Karnevals als Beispiel für eine Produktanpassung vorgestellt.

Bei Gästeführungen von Attraktionen ist grundlegend zu beachten, dass Reisende aus China kaum Wissen über den europäischen Kulturkreis besitzen. Aus diesem Grund ist eine Anpassung der Informationen und Führungen hier von großer Bedeutung. Wichtig ist den chinesischen Touristen nicht zu viele Details zu liefern, sondern stattdessen die

Grundlagen und Zusammenhänge zu erklären. Gerne möchten chinesische Gäste wissen, aus welchem Grund etwas bekannt oder berühmt ist. Außerdem sind Geschichten und Hintergründe von besonderem Interesse sowie auch die Spuren von in China bekannten Persönlichkeiten (Arlt 2005). Als Beispiel ist hier das Geburtshaus von Karl Marx in Trier zu nennen. Hasse bezeichnet den Ort als eine Pilgerstätte für chinesische Touristen, denn der Besuch des Geburtshaus von Karl Marx, der als geistiger Vater des Kommunismus gilt, ist bei einer Reise durch Deutschland ein fester Bestandteil des Programms (2005, S. 1). Im Geburtshaus befindet sich das Karl-Marx-Museum. Seit Mitte des Jahres 2005 können für die Ausstellung geführte Touren auf Chinesisch gebucht werden, zudem sind auch Audio-Guides auf Chinesisch erhältlich. Der Souvenirshop bietet Karl-Marx-Erinnerungsstücke in verschiedensten Ausführungen (COP 2005d, S. 2). Aufgrund der Bedeutung von Karl Marx in China ist Trier ein Anziehungspunkt für chinesische Touristen, während aber der Mitbegründer des Kommunismus Friedrich Engels überwiegend für einen Engländer gehalten wird und dessen deutsche Geburtsstätte den Chinesen nicht geläufig ist (Arlt 2005). Es gilt daher für die Chinesen geschichtlich interessante Plätze und Persönlichkeiten hervorzuheben, insbesondere jene, die einen Bezug zu China aufweisen.

Die Chinesen verbinden neben qualitativ hochwertigen Produkten auch Romantik mit Deutschland. Die Stadt Heidelberg kann hier als Vorbild gesehen werden, denn die Attraktion stellt das romantische Stadtbild im Kombination mit einem Superlativ, der längsten Einkaufsstraße Deutschlands, dar (siehe 5.2.1).

Im Folgenden werden die Maßnahmen der Touristenattraktionen in Melbourne für den chinesischen Markt betrachtet, da Australien im Jahr 1999 als erste westliche Destination das ADS-Abkommen mit China unterzeichnete. Der Service für chinesische Gäste der Haupttouristenattraktionen in Melbourne fällt sehr unterschiedlich aus und reicht von chinesischen Broschüren, Beschilderung mit internationalen Zeichen und interaktiven Bildschirmen in Mandarin über ein Angebot an chinesischem Essen und spezifischen Souvenirs bis hin zu asiatischen Toiletten (Junek; Binney; Deery 2004, S. 12-15). In einer Attraktion,

Sovereign Hill, wird sogar eine spezielle Ausstellung für chinesische Gästegruppen geboten. Die Geschichte chinesischer Goldgräber in Australien wird für die Zielgruppe in komprimierter Form dargestellt, da die chinesischen Reisegruppen aufgrund des ausgefüllten Programms nur wenig Zeit für den Besuch haben. Weiterhin stehen chinesischsprachige Guides für die Tour zur Verfügung und es gibt einen geringeren Eintrittspreis für chinesische Reisegruppen, die nur die Sonderausstellung besuchen.

Im Bereich der Unterhaltung kann bei der Anpassung für chinesische Touristen nach Expertenaussagen eine spezielle Karnevalsveranstaltung in Köln angeführt werden. In einem großen Saal wird dort eine Woche vor Beginn des Karnevals eine Karnevalsveranstaltung für ausländische Gäste veranstaltet. Hierbei wird nicht nur gefeiert, sondern den ausländischen Besuchern die Hintergründe des Karnevals in Köln sogar auf Chinesisch erklärt (Arlt 2005). Bei diesem Beispiel handelt es sich um eine Veranstaltung, die einmal jährlich stattfindet, jedoch ist der Grundsatz auf andere Unterhaltungsangebote übertragbar.

5.3.2.4 Shopping und Souvenirs

Die chinesischen Pauschaltouristen interessieren sich beim Shopping vor allem für in China bekannte Markenartikel, insbesondere für jene, die aus dem bereisten Land oder sogar dem Ort selbst stammen (siehe 3.4.4). In diesem Zusammenhang soll auf drei Best Practice Beispiele für das Angebot von Souvenirs für chinesische Reisegruppen eingegangen werden. Zum einen handelt es sich um das Hugo Boss Outlet in Metzingen, den wohl meistbesuchten Ort chinesischer Reisegruppen in Deutschland. Auf der anderen Seite soll auf die Nutzung des Potentials einer berühmten Attraktion, des Geburtshauses von Karl Marx in Trier, eingegangen werden sowie auf die innovativen Souvenirshops für chinesische Gäste der Firma German Style Tax Free Shop.

Das Hugo Boss Outlet ist bei chinesischen Besuchern beliebt, da die Marke in China eine sehr hohe Bekanntheit und viel Prestige genießt. Als Best Practice kann das Fabrik Outlet der Marke am Herkunftsort gesehen werden, denn dieses erfüllt die Bedürfnisse der chinesischen Touristen hervorragend. Neben dem Bekanntheitsgrad, der die Grundvoraussetzung für den Erfolg ist, bietet das Outlet Markenware zu günstigen Preisen. Die chinesischen Touristen sind sich sicher Originale zu erstehen, da der Ort des Verkaufs auch der Herkunftsort der Marke ist. Aufgrund der hohen Besucherzahlen von chinesischen Gästen steht chinesisch sprechendes Verkaufspersonal beratend zur Seite.

In Trier bereiten sich viele Kaufleute und Gastronomen der Stadt auf die Touristen aus China vor. Das Geburtshaus von Karl Marx ist ein großer Anziehungspunkt für chinesische Gäste, die zudem als kaufkräftig gelten. Als Maßnahmen werden grundlegende Chinesisch Kenntnisse erlernt, chinesische Aufkleber zur Begrüßung in die Ladentüren geklebt und ein Shoppingstadtführer für die Stadt Trier erarbeitet. Mit dem Chinesisch-Kurs sollen die Grundlagen der Sprache erlernt werden, da dieses eine sehr hohe symbolische Bedeutung im Sinne von Gastfreundschaft besitzt. Die roten Aufkleber mit goldener chinesischer Schrift in den Ladentüren wünschen den Gästen viel Spaß beim Einkaufen und der Shoppingguide soll bereits vor dem Eintreffen in der Stadt über Einkaufsmöglichkeiten informieren (Hasse 2005, S. 1-3). Eigens für die chinesischen Gäste wird der Wein aus der bekannten Weinanbauregion an der Mosel als Souvenir in roten Flaschen unter dem Namen Karl-Marx-Wein verkauft (COP 2005d, S. 2).

Als weiteres Beispiel dient die Firma German Style Tax Free Shop, die kürzlich einen dritten Souvenir Shop für asiatische, speziell chinesische, Besucher eröffnete. Neben Köln und München besitzt nun auch Berlin einen so genannten German Style Shop, der genau auf die Bedürfnisse der chinesischen Touristen abgestimmt ist. Hier werden kaum typische Mitbringsel angeboten, sondern Gebrauchsgüter bekannter Marken, wie Schweizer Taschenmesser, Scheren, Knoblauchpressen und hochwertige Küchenutensilien u.a. der Marke Zwilling. Die Taschenmesser weisen dabei bis zu dreistellige Beträge auf. Spezifisch für Berlin stehen einzig ein paar rote Baseballcaps, auf denen Berlin auf Chinesisch in goldenen Buchstaben steht sowie Teddybären mit Berlin-Etikett. Beratend stehen in dem neuartigen Souvenirshop drei chinesische Verkäufer zur Seite und bieten den Einkäufern einen exklusiven Service. Der Souvenirshop liegt zudem an einer strategisch günstigen Stelle, gleich am Brandenburger Tor (BTM 2005a, S. 1; BTM 2005b, S. 1; Schmid 2005, S. 1). Nach Schmid herrscht bei den chinesischen Besuchern großes Interesse an dieser Art spezieller Souvenirshops. Wichtig bei den Waren ist das Siegel "Made in Germany" (2005, S. 1). Interessant ist aber auch Schokolade, als Mitbringsel für Kinder, oder andere Sachen, die in Deutschland hergestellt werden. Besucher wünschen sich kleine Erklärungen zur Geschichte von Produkten, da meist nur der Markenname bekannt ist (Schmid 2005, S. 1-2).

Als ein gutes Vorbild für den Einzelhandel in einem Zielgebiet kann Juwelier Wempe in Hamburg gesehen werden (siehe 5.2.3.5). Außerdem bietet die Firma Global Refund eine Möglichkeit des Tax-free-Shoppings, um es den chinesischen Touristen auf vereinfachte Weise zu ermöglichen vor der Abreise die Mehrwertsteuer der gekauften Waren zurückerstattet zu bekommen. Die Besucher aus China schätzen diesen Service. Zusammen mit der DZT wird von Global Refund seit einigen Jahren ein Shopping Guide für Deutschland auf chinesischer Sprache herausgegeben (Global Refund Deutschland GmbH 2003, S. 24-25; Global Refund Deutschland GmbH 2005, S. 1).

5.3.3 Beispielhafte Reiserouten

In Europa führen die Routen von chinesischen Pauschalreisegruppen bisher nur entlang der üblichen Routen. Meist steht in Deutschland der Süden auf dem Programm, die Hintergründe sollen in diesem Abschnitt näher betrachtet werden. Ein Grund liegt an der geographische Lage der Reiseziele in südlichen Gebieten Deutschlands. Aufgrund der Reiseroute durch mehrere europäische Länder sind diese Ziele günstiger mit den anderen bereisten Ländern zu verbinden. Bei einer Dauer von 10 bis 15 Tagen werden häufig bis zu fünf Länder bereist, dementsprechend komprimiert müssen die Reiserouten gestaltet werden. Der Süden wird mit dem typischen Deutschlandbild vieler Touristen verbunden und bietet für chinesische Reisegruppen eine Vielzahl an bekannten Superlativen, wie das Hugo Boss Outlet in Metzingen bei Stuttgart, die romantische Stadt Heidelberg, Schloss Neuschwanstein und nicht zuletzt das Geburtshaus von Karl Marx in Trier.

Die Reiserouten chinesischer Pauschaltouristen in Deutschland führen ab Frankfurt meist weiter in den Süden des Landes. Auf dem chinesischen Markt genießen die touristischen Attraktionen in der südlichen Hälfte der Bundesrepublik einen höheren Bekanntheitsgrad und werden somit momentan von chinesischen Touristen als die Highlights des Landes angesehen. Nach Expertenaussagen wird der Süden Deutschlands stärker in Verbindung mit anderen Reisezielen angeboten, wie beispielsweise München mit Salzburg und Wien (Bunge 2005). Durch eine gute Kooperation und die gemeinsame Vermarktung von Regionen und Ländern fördert die Attraktivität des Besuches einer Region.

5.4 Handlungsempfehlungen für Hamburg

Nur wenige touristische Angebote sind bisher in Deutschland den Bedürfnissen von chinesischen Reisegruppen angepasst. Die Ist-Analyse zeigt jedoch, dass in der Hansestadt Hamburg Vorbereitungen für die Besucherströme aus dem Reich der Mitte getroffen werden. Im Folgenden werden weitere Möglichkeiten der Hansestadt Hamburg zur Anpassung der touristischen Produktbausteine für chinesische Pauschalreisende dargestellt. Besonderer Beachtung bedarf es der Tatsache, dass chinesische Gäste ein geringes Hintergrundwissen über die westliche Kultur besitzen sowie unterschiedliche Erwartungen in Bezug auf die Reiseinhalte und den Service mitbringen als bisherige Zielgruppen.

5.4.1 Entwicklung der Akteure

Die China-Akteure in der Hansestadt Hamburg üben einen wesentlichen Einfluss auf die Gestaltung und Qualität des Angebots aus. Diesbezüglich ist es von außerordentlicher Bedeutung alle Beteiligten über die kulturellen Unterschiede, Hintergrundwissen und Erwartungen chinesischer Gäste zu informieren. Für den China-Tourismus sollten neben der Hotelschulung weitere Trainingsmaßnahmen für die touristischen Leistungsträger stattfinden, damit die Leistungen entsprechend den Erwartungen und Bedürfnissen von chinesischen Besuchen gestaltet und das Personal für dieses Gästesegment ausgebildet werden kann. Neben dem geplanten Leitfaden für Hotels, Gastronomen und Dienstleister wäre es wichtig,

Ansprechpartner für Fragen zur Verfügung zu stellen oder Kooperationen aufzubauen, damit die Leitungsträger gegenseitig Tipps und Erfahrungen austauschen können.

Der Reiseleiter übt großen Einfluss auf die Qualität der Reise aus, daher sollte der Qualifikation von Reiseleitern große Bedeutung beigemessen werden. Insbesondere in europäischen Ländern dient der Reiseleiter für die chinesischen Reisegruppen als Vermittler der westlichen Kultur und beeinflusst die Erfahrungen in Europa wesentlich. Aufgrund dessen ist verstärkt Wert auf eine gute Schulung von chinesischsprachigen Reiseleitern für die Hansestadt Hamburg zu legen. Hier besitzt Hamburg mit dem Sitz des "Training Institute for Chinese Speaking Tour Guides in Europe" einen großen Vorteil, den es stärker zu nutzen gilt. In diesem Rahmen könnten Reiseleiter für die Hansestadt Hamburg ausgebildet werden. Zudem könnten in Kooperation mit der in Hamburg ansässigen Reiseleiterschule interessante Programme in der Stadt für chinesische Reisegruppen ausgearbeitet werden. Speziell für chinesische Touristen gestaltete Programme würden die Reiseleiter darin unterstützen, den chinesischen Pauschaltouristen die Besonderheiten der westlichen Kultur näher zu bringen. Weiterhin könnte es die Attraktivität der Stadt steigern, in touristische Reiserouten der chinesischen Reiseveranstalter integriert zu werden. In der Reiseleiterschule könnten hochqualifizierte Reiseleiter für die Stadt Hamburg ausgebildet werden, die einen wichtigen Schlüssel bei der Zufriedenheit chinesischer Pauschaltouristen darstellen. Außerdem sollte das Personal der touristischen Dienstleister über die Bedeutung der Reiseleiter von chinesischen Reisegruppen informiert werden, um eine gute Zusammenarbeit zu ermöglichen.

Nach Expertenaussagen mangelt es in Deutschland an einer Struktur touristischer Dienstleistungen geschaffen von chinesischen Einwanderern für chinesische Touristen (Arlt 2005). Die Hansestadt Hamburg besitzt hier mit einer relativ großen chinesischen Gemeinschaft sehr viel Potential. Neben chinesischen Restaurants und Dienstleistungen für chinesische Unternehmen sollten auch im touristischen Bereich verstärkt Leistungsträger von Überseechinesen gefördert werden, indem ihnen z.B. verstärkt

Hilfestellungen zur Unternehmensgründung angeboten werden. Auf diese Weise können sprachliche und kulturelle Barrieren leichter überwunden sowie Angebote entsprechend den Bedürfnissen von Chinesen gestaltet werden, wie beispielsweise der German Style Shop in Berlin, der von zwei chinesischen Muttersprachlern geführt wird (siehe 5.3.2.4).

5.4.2 Vorschläge zur Positionierung

Das Image eines Reiseziels übt einen sehr großen Einfluss auf das Reiseverhalten chinesischer Touristen aus. Eine hohe Bekanntheit steigert die Attraktivität eines Reiseziels, daher sollte Hamburg anhand der Instrumente des Marketing-Mix aktiv für chinesische Touristen positioniert werden. Europa wird von chinesischen Touristen als eine Destination angesehen, jedoch werden nur die bekannten und als attraktiv erscheinenden Regionen und insbesondere Städte besucht. Die Hansestadt Hamburg sollte einerseits in attraktive Reiserouten eingegliedert werden und andererseits mit einem einzigartigen Merkmal für die Zielgruppe positioniert werden. Von entscheidender Bedeutung ist dabei sowohl die Orientierung an den Interessen der Zielgruppe als auch die Fokussierung auf Kernkompetenzen der Stadt, um einen wirklichen und einzigartigen Kundennutzen anzusprechen.

Nach Expertenaussagen passt die Hansestadt Hamburg nicht in das typische Deutschlandbild chinesischer Touristen, sondern eher in das von nordeuropäischen und insbesondere skandinavischen Regionen (Arlt 2005). Auf der anderen Seite sollte auch die Positionierung des Reiselands Deutschland auf dem chinesischen Markt unter den Schwerpunkten Kultur, Romantik, Einkaufen und Erlebnis berücksichtigt werden.

Hamburg könnte als Highlight in Nordeuropa hervorgehoben und für chinesische Touristen mit Shopping und Kultur positioniert werden, da dieses den Stärken der Hansestadt und den Interessen der Zielgruppe entspricht. Die Stadt bietet elegante Shoppingadressen für Markenprodukte und lebhafte Einkaufsmöglichkeiten für andere Mitbringsel. Im Bereich der Kultur tut sich Hamburg durch Architektur, bekannte Persönlichkeiten (z.B. Brahms und die Beatles) und Verbindungen zu China (z.B. der Besuch des chinesischen Vizekaisers und Reformpolitikers Li Hongzhang) hervor. Diese Eigenschaften sollten für die Bedürfnisse der chinesischen Touristen weiter ausgebaut werden (siehe 5.4.3.4; 5.4.3.5). Die Positionierung entspricht den Interessen der Hauptquellmärkte in China: Kultur für Besucher aus Beijing, Shopping insbesondere für Gäste aus Shanghai und in Verbindung mit Kultur könnte Hamburg als kulturelle Erlebnismetropole für Chinesen aus Guangzhou präsentiert werden. Auf diese Weise könnte auf die unterschiedlichen Interessen der chinesischen Touristen eingegangen werden.

In Verbindung mit der Positionierung sollten Angebote, wie z.B. romantische Plätze mit der Historie der Stadt kombiniert oder Architektur mit Unterhaltung verbunden werden. Als zukünftiges Wahrzeichen und einzigartiges Merkmal könnte die Elbphilharmonie gesehen werden (siehe 5.4.3.4), die sich wiederum hervorragend unter dem Oberbegriff Kultur in die Positionierung eingliedern lässt. Die Hansestadt Hamburg als Shoppingmetropole mit Kultur, auf diese Weise könnte die Stadt in Zukunft als Highlight für chinesische Besucher in Deutschland und Nordeuropa dargestellt werden.

Hamburg steht im Allgemeinen für eine sehr gute Qualität der touristischen Dienstleistungen. Im chinesischen Markt ist bisher noch keine Nachfrage für Europareisen im Hochpreissegment vorhanden, daher sollte Hamburg für diese Zielgruppe mit entsprechenden Angeboten im unteren Preissegment positioniert werden. Zu beachten ist, dass die Stadt aus Sicht der chinesischen Besucher als eine reiche Handelsstadt gesehen und leicht mit hohen Preisen in Verbindung gebracht wird. Es sollte großer Wert darauf gelegt werden, Angebote im unteren Preissegment zu schaffen und die Stadt mit einem guten Preis-Leistungsverhältnis zu präsentieren. Sobald sich Hamburg als Reiseziel für den chinesischen Incomingtourismus etabliert hat, könnte über den Aufbau einer Marke für die Hansestadt Hamburg nachgedacht werden. Sollte es gelingen die Marke Hamburg erfolgreich auf dem chinesischen Markt zu etablieren, würde dieses aufgrund der großen Vorliebe der Chinesen für Marken einen hohen Mehrwert und Anreiz für einen Besuch der Stadt bieten.

5.4.3 Empfehlungen in der touristischen Dienstleistungskette

In diesem Abschnitt werden Handlungsempfehlungen für die weitere Gestaltung der Stufen entlang der Dienstleistungskette dargestellt. Die Produktanpassung wird von den Gästen durch eine möglichst optimale Erfüllung der Bedürfnisse während des Aufenthalts wahrgenommen, die durch eine Verkettung von touristischen Dienstleistungen erfolgt. Die Akteure üben einen wesentlichen Einfluss auf die Qualität der Dienstleistungen aus. Die Attraktivität einer Destination hängt jedoch wesentlich von der Art und Gestaltung des Leistungsangebotes ab.

5.4.3.1 Beförderung

Bei der Beförderung liegt der zentrale Schwerpunkt auf der bereits geplanten Direktflugverbindung zwischen Hamburg und China. In diesem Zusammenhang sind auch die Gegebenheiten am Flughafen Hamburg zu überprüfen. Ein wichtiger Schritt für die Orientierung am Flughafen ist bereits mit der Verteilung eines Flughafen Hamburg Guides vor dem Abflug in China in Planung. Sollte die Anzahl der chinesischen Fluggäste durch die Direktverbindung stark zunehmen, wäre über eine Beschilderung wichtiger Hinweise auf Chinesisch nachzudenken. Alternativ hierzu könnte auch chinesischsprachiges Personal bei den Ankünften und Abflügen chinesischer Gäste für Fragen zur Verfügung stehen, wie es bereits an den Flughäfen in Frankfurt und München umgesetzt wurde (siehe 5.3.2.1). Insbesondere chinesisch sprechende Begrüßungskomitees würden den Bedürfnissen chinesischer Besucher entsprechen. Für chinesische Touristen ist eine Europareise von großem Wert und sie wünschen sich eine Begrüßung als willkommene und wichtige Personen (Arlt o. J., S. 19). In diesem Sinne sollte auch über eine besondere Veranstaltung am Hamburger Flughafen nachgedacht werden, um die Gäste des ersten Direktflugs aus Shanghai in Hamburg zu begrüßen. Ein solches Ereignis würde die Bedeutung der Direktverbindung zu China zeigen und den chinesischen Gästen bzw. der chinesischen Nation Interesse und Achtung entgegen bringen. Eine gelungene Begrüßungsveranstaltung würde im Umkehrschluss auch für die Hansestadt positive Mund-zu-Mund-Propaganda nach der Rückkehr in China und eine Steigerung des Bekanntheitsgrades bedeuten.

Für das Image Hamburgs sollten in Verbindung mit dem Direktflug wichtige Informationen auf der Homepage des Hamburger Flughafens auf Chinesisch übersetzt werden. Dieses wäre im Vorfeld auch als Information zur Orientierung der Gäste am Flughafen dienlich.

Für die angedachten Routen mit Hamburg als Anfangs- oder/ und Enddestination, wäre die Erstellung einer Datenbank mit geeigneten Busunternehmen notwendig. Auch hier sollten die Mitarbeiter der Busunternehmen anhand eines Leitfadens oder Schulungen über die kulturellen Unterschiede und Vorlieben der chinesischen Gäste informiert werden, damit auf diese Weise ein qualitativ hochwertiger Service und gute Zusammenarbeit mit den chinesischen Reiseleitern gewährleistet werden kann. Die Anpassung von öffentlichen Verkehrsmitteln ist für chinesische Pauschaltouristen nicht relevant, da diese bei einem Aufenthalt kaum in Anspruch genommen werden. Mit der Entwicklung des chinesischen Reisemarktes hin zu individuelleren Reisen könnten jedoch in Zukunft Ausschilderungen und Durchsagen in englischer Sprache in öffentlichen Transportmitteln von wesentlicher Bedeutung sein.

5.4.3.2 Information vor Ort

Bei den Informationen vor Ort ist es von großer Notwendigkeit die bestehenden Informationen für die Zielgruppe anzupassen. Lediglich eine wörtliche Übersetzung der Inhalte in die chinesische Sprache ist hierbei nicht ausreichend. Zusätzlich sind die Informationen an die Interessen der chinesischen Touristen anzupassen. Zu beachten ist, dass die Gäste aus China ein sehr geringes Grundwissen über die westliche Kultur besitzen. Die Informationen sollten in komprimierter Form dargestellt werden, eine geringere inhaltliche Tiefe aufweisen sowie auf die Grundlagen der westlichen Kultur eingehen. Ferner ist es wichtig, die spezifischen Interessenbereiche bei der Erstellung von Informationen für die Zielgruppe zu berücksichtigen. Informationen sollten z.B. Aufschluss darüber geben, warum etwas berühmt ist. Außerdem sollten sie Bezüge zur chinesischen Kultur hervorheben oder den Chinesen grundlegende Hintergründe vermitteln, die mit dem Alltag und den Bräuchen der westlichen Kultur in

Verbindung stehen. Dementsprechend ist bei der Vermittlung ein gänzlich anderer Schwerpunkt zu legen, als bei den bestehenden Informationen über die Stadt und einzelne Sehenswürdigkeiten.

Die Informationen auf der Homepage der Hansestadt Hamburg, der chinesische Stadtplan sowie das Programm von Stadt-, Hafen und Alsterrundfahrten sollten für chinesische Touristen angepasst werden. Entsprechend den Interessen sind insbesondere Informationen zu Shopping, Highlights und Superlativen der Stadt, berühmten Persönlichkeiten und zu chinesischen Bezugspunkten in der Stadt hervorzuheben. Nach Expertenaussagen sind die Informationen im Internet über die Hansestadt Hamburg bisher zeitlos, da die Vielzahl an Events und Aktionen in der Hansestadt nicht ausreichend zum Ausdruck kommen. Weiterhin sollte auf die Beziehungen von Hamburg zu China eingegangen werden (Krause 2005). Insbesondere als Imageträger der Stadt, aber auch als Informationsquelle für chinesische Pauschaltouristen, besitzt der Internetauftritt ein großes Potential, das weiter ausgeschöpft werden sollte.

Der chinesische Stadtplan sollte ebenfalls spezifische Informationen zu Attraktionen, Shopping und Restaurants für die Zielgruppe enthalten. Auch könnte die Übersetzung von Hamburger Straßennamen und Bezeichnungen von Attraktionen ins Chinesische einbezogen werden, um den chinesischen Pauschaltouristen sowie auch anderen Besuchern aus China eine gute Orientierungshilfe in der Stadt zu bieten. Für die Informationshotline wäre es empfehlenswert Ansagetext und Auskunft in englischer Sprache für die chinesischen Reiseleiter bereitzuhalten. Besser noch wäre es, in Zukunft eine Servicenummer mit chinesischsprachiger Auskunft zur Verfügung zu stellen.

Bei bedeutenden Attraktionen ist eine chinesische Beschilderung bereits in Planung (siehe 5.2.3.2). Hier sollten die Übersetzungen der Hamburg-spezifischen Begriffe ins Chinesischen einbezogen werden. Weiterhin könnte eine kurze Beschreibung zu der jeweiligen Attraktion mit angepasstem Inhalt angebracht werden. Auch die Willkommens-Info-Guide-Plakate könnten über eine kurze Beschreibung der nahe gelegenen Sehenswürdigkeit verfügen und sollten deutlicher gekennzeichnet werden.

In den Touristenformationen könnte mehr Informationsmaterial als nur der chinesische Stadtplan für Touristen aus China bereitgehalten werden. Ein Hinweis der Willkommens-Info-Guide-Plakate auf die nächstgelegene Touristinformation wäre von geringem Wert, denn aufgrund der sprachlichen Barrieren ist eine Vermittlung von Informationen kaum möglich.

Der Leitfaden für Reiseleiter von chinesischen Reisegruppen sollte spezifische Informationen entsprechend den Interessen der Zielgruppe enthalten. Besonders wichtig wären hier Informationen zu Grundlagen der deutschen Kultur, Meilensteine der Hamburger Geschichte, zu Shopping, den Highlights der Stadt und deren Hintergründe sowie ausgewählten Restaurants. Zu Informationszwecken für die Reiseleiter und zu Werbezwecken könnte neben der existierenden DVD über Hamburg in Chinesischer Sprache, die aber hauptsächlich Geschäftsleute anspricht, auch eine DVD speziell für Reisegruppen erstellt werden. Ein Film mit kurzen Ausschnitten über Hamburg in Kombination mit anderen beliebten Reisezielen in (Nord-) Europa könnte für die chinesischen Touristen zudem Souvenircharakter aufweisen. Chinesischsprachige Stadtpläne und allgemeine Informationen über Hamburg mit angepassten Inhalten sollten den Gästen auch in den Hotels zugänglich sein.

5.4.3.3 Beherbergung und Verpflegung
In der Hamburger Hotellerie werden bereits große Anstrengungen unternommen, die Leistungen auf die Bedürfnisse chinesischer Gäste anzupassen. Mit einer steigenden Anzahl von Gruppenreisen in die Hansestadt wird vor allem die Nachfrage im Drei- und Viersternesegment zunehmen, während in 5-Sterne-Hotels Geschäftsreisende und Delegationen als Gäste überwiegen. Es wäre empfehlenswert, wenn die Hotels gewisse Mindeststandards für chinesische Gäste einführen würden, um den Service für diesen Gästekreis zu verbessern.

Das Hotelpersonal sollte über Bedürfnisse und Erwartungen der Gäste aus China informiert werden sowie Kenntnis über kulturelle Unterschiede und Umgangsformen besitzen. Wichtig ist es zu beachten, dass Wartezeiten beim Check-In von chinesischen Gäste vermieden werden und das

100

Servicepersonal stets ein freundliches und willkommen heißendes Lächeln für die Gäste aus China bereithält. Bei der Zimmerausstattung sollten Twin-Betten in einem Doppelzimmer genügend Abstand zueinander aufweisen. Kamm, Zahnbürste und Hausschuhe sollten zur Verfügung gestellt werden. Dieses ebenso wie das kostenlose Bereitstellen von heißem Wasser, sind die Gäste als Mindeststandard in China gewohnt. Nach Expertenaussagen könnte das Wohlbefinden der Gäste gesteigert werden, indem chinesische Zeitungen und ein chinesischer Fernsehkanal angeboten wird. Dieses wird von chinesischen Reisenden gerne für die Entspannung auf dem Hotelzimmer in Anspruch genommen. Auch wären die Gäste über chinesische Informationen und Speisekarten sowie einen chinesischsprachigen Ansprechpartner im Hotel sehr dankbar (WU Ping 2005).

Bei der Erstellung eines Leitfadens für die Hamburger Hotellerie und Gastronomie sollte sich an den Leitfäden der Hotellerieswiss, dem Handbuch des Bayrischen Hotel- und Gaststättenverbandes sowie den Service Standards der Accor-Gruppe orientiert werden (siehe 5.3.2.2). Der Leitfaden könnte durch Sponsoren unterstützt und für die Beherbergungsindustrie kostengünstig zur Verfügung gestellt werden, damit die Umsetzung von Maßnahmen für chinesische Gäste in den Betrieben gefördert wird.

Im Rahmen der Verpflegung sind nur wenige Anpassungen nötig. Aber auch hier gilt es, aufgrund der großen Bedeutung der Mahlzeiten, über die kulturellen Besonderheiten und Verhaltensweisen chinesischer Gäste informiert zu sein. In den Hotels sollte morgens ein reichhaltiges Frühstücksbuffet zu einer frühen Uhrzeit angeboten werden. Für das Mittag- und Abendessen sollten insbesondere Restaurants mit originaler Zubereitung des chinesischen Essens sowie typisch deutscher Küche zur Verfügung stehen. Auch in diesem Bereich sind bereits Maßnahmen angedacht. Neben dem Leitfaden für Hotellerie und Gastronomie sollte für die im "Food & Lifestyle Guide Europe" aufgeführten Restaurants nicht-chinesischer Inhaber eine Schulung bezüglich der Bedürfnisse und Verhaltensweisen chinesischer Gäste angeboten werden. Als Teil des kulturellen Erlebnisses in der Hansestadt könnte für chinesische Reisegruppen eine kleine Einführung in die deutsche Küche mit leicht bekömmlichen Speisen angeboten werden.

5.4.3.4 Attraktionen und Unterhaltung

Für chinesische Touristen steht das Image und die Kultur einer Destination im Vordergrund der Interessen, daher ist es wichtig, die Stadt mit den für chinesische Touristen interessanten Highlights zu präsentieren. Hierbei zählen weniger die klassischen Angebote, als viel mehr Superlative, touristische Glanzstücke, Einkaufsmöglichkeiten und Bezüge zur chinesischen Kultur. In diesem Sinne sollten entsprechende Attraktionen in Hamburg hervorgehoben werden und die Inhalte den Anforderungen angepasst werden (siehe auch 5.4.3.2).

Die chinesische Hamburg-Karte weist bereits viele interessante Attraktionen für Chinesen aus, die bei dem Aufenthalt von chinesischen Reisegruppen stärker in den Mittelpunkt gerückt werden sollten (siehe 5.2.3.4; Anhang 6). Bei einem Besuch in Hamburg sind eine Stadt-, Hafen- sowie meist auch eine Alsterrundfahrt ein fester Bestandteil des Programms. Aus diesem Grund sollten Maßnahmen ergriffen werden, um die Inhalte der Stadt-, Hafen- und Alsterrundfahrt weiter den Bedürfnissen der chinesischen Gäste anzupassen. Bei den chinesischsprachigen Stadtrundfahrten sollten nach Möglichkeit die Attraktionen der Route entsprechend den Interessen von chinesischen Reisegruppen gewählt, zumindest aber die Informationen der Durchsagen angepasst werden (siehe 5.4.3.2).

Nach Expertenaussagen ist es für chinesische Reiseleiter bei Hafen- und Alsterrundfahrten sehr schwierig, den Erklärungen zu folgen und diese für die chinesische Reisegruppe zu übersetzen (WU Ping 2005). Zudem kann der Inhalt auf diese Weise nicht an die Interessen der chinesischen Touristen angepasst werden, wodurch Unverständnis des Gesagten entstehen kann. Auch hier sollten Maßnahmen zur Verbesserung der Leistung unternommen werden, indem beispielsweise Audio-Guides mit Erklärungen zu Attraktionen auf Chinesisch angeboten werden oder als kostengünstigere Variante, ein Informationsheft für chinesische Reiseleiter zur Verfügung gestellt wird. Weiterhin sollte über eine verkürzte Version oder eine Kombination von Stadt-, Hafen- und Alsterrundfahrt nachgedacht werden, da die chinesischen Reisegruppen in der Regel nur wenig Zeit für einen Hamburgbesuch mitbringen. Auch sollten Sehenswürdigkeiten in der Stadt ausgewählt werden, die speziell den Interessen chinesischer Gäste entsprechen, wie z. B. die auf der chinesischen Hamburg-Karte.

In Zukunft sollten verstärkt romantische Angebote für chinesische Touristen entwickelt werden, wie Bootsfahrten entlang der Kanäle und Brücken von Hamburg als dem Venedig des Nordens (Bunge 2005). Von außerordentlicher Bedeutung sind gute Möglichkeiten für Fotos bei wichtigen Attraktionen. Daher könnten Plätze markiert werden, von denen aus besonders gute Fotos von Personen oder Gruppen mit der Attraktion im Hintergrund gemacht werden können. Auf spezielle Fotospots könnte bereits in der Imagebroschüre und in Reiseführern hingewiesen werden.

Mit dem Bau der Elbphilharmonie könnte Hamburg zukünftig ein einzigartiges Merkmal für den chinesischen Markt gewinnen. Der architektonisch extravagant geplante Bau der Elbphilharmonie in der Hafen City würde nicht nur Hamburgs Ruf als Hafenstadt mit einer touristischen Attraktion verbinden, sondern könnte bei der Vorliebe chinesischer Touristen für klassische Musik einen Höhepunkt auf der Europareise darstellen. Von chinesischen Deutschlandreisenden könnte die Elbphilharmonie als Wahrzeichen und besonderer Anziehungspunkt der Hansestadt Hamburg gesehen werden. Dieses braucht jedoch Zeit, denn einerseits steht der Bau noch aus und andererseits bedarf es eines gewissen Bekanntheitsgrades in China, damit chinesische Touristen dieses als Prestigefaktor und einen Höhepunkt der Reise sehen. Für die Unterhaltung könnten somit zukünftig klassische Konzerte in der Elbphilharmonie stattfinden. Begleitend zu den Konzerten könnte ein Programmheft für chinesische Besucher entworfen werden, dass über Hintergründe zu bekannten Kompositionen und dem Leben der Komponisten berichtet.

Für die Unterhaltung ist St. Pauli mit der Reeperbahn ein touristischer Anziehungspunkt in der Hansestadt. Die Reeperbahn ist für die Einwohner längst mehr als nur Rotlichtbezirk, daher sollten auch hier ergänzende Unterhaltungsangebote für internationales Publikum geschaffen werden. Insbesondere für chinesische Reisegruppen könnte die Attraktivität des Kasinos gesteigert und hier eine spezielles Unterhaltungsprogramm aus Glücksspiel und Karaoke angeboten werden. Unterhaltung mit romantischem Touch bieten im Sommer die farbigen Wasserlichtkonzerte im Park Planten un Blomen. Kurze Ansagen werden hier in englischer Sprache gemacht, die von Reiseleitern leicht zu übersetzten sind.

Nach Expertenaussagen würde die Aufnahme eines chinesischen Fußballspielers in den Hamburger Sport-Verein (HSV) das Interesse und die Bekanntheit der Hansestadt Hamburg wesentlich steigern (WU Ping 2005). Im Unterhaltungsprogramm könnte so auch ein Fußballspiel des HSV an Attraktivität gewinnen. Im Vorfeld des Fußballspiels könnte den chinesischen Teilnehmern die Bedeutung des Fußballs in Deutschland sowie, falls nötig, die Spielregeln erklärt werden. Neben dem Erleben von westlicher Kultur ist das Einkaufen auf einer Europareise von großer Bedeutung für chinesische Touristen.

5.4.3.5 Shopping und Souvenirs

Mit einer Vielzahl an attraktiven Einkaufsadressen besitzt Hamburg ein großes Potential, um in Zukunft als Shoppingmetropole für chinesische Pauschaltouristen zu gelten. Neben dem geplanten Leitfaden für Dienstleister könnten Kooperationen Im Einzelhandel gebildet werden, um dem Beispiel von Juwelier Wempe (siehe 5.3.2.4) zu folgen und Maßnahmen zur Vorbereitung und Verbesserung des Angebots für chinesische Touristen zu treffen. Gemeinsam mit dem Einzelhandel könnte für den Besuch von chinesischen Reisegruppen über ein attraktives Shopping-Programm von ausgewählten Markenanbietern und Kaufhäusern nachgedacht werden.

Zum Einkaufen sollten zusätzlich Anreize durch Rabatte und Tax-free-Shopping geschaffen werden. In dem geplanten Shoppingguide Hamburg könnten Coupons integriert werden, die den Einkauf von Markenwaren durch spezielle Preisnachlässe besonders reizvoll gestalten. Neben den

Geschäften in der Innenstadt könnten außerdem, soweit vorhanden, Outletverkäufe von bekannten Hamburger Markenprodukten in das Shoppingprogramm integriert werden. Viel Potential birgt beispielsweise das Tom Taylor Outlet in Oststeinbek. Die Marke Tom Taylor ist mit anderen westlichen Labels wie Esprit oder S´Olivier auf dem chinesischen Markt im höheren Preissegment angesiedelt und erobert zunehmend den Markt der jüngeren Chinesen (Seibold; Ballhaus 2005, S. 37).

Insbesondere bei Geschäften, die fester Bestandteil des Shoppingprogramms chinesischer Touristen sind, sollte ein reichlicher Bestand an kleineren Größen vorrätig sein. Empfehlenswert wäre auch ein chinesischsprachiger Mitarbeiter, der den Kunden beratend zur Seite steht. Alternativ könnte ein chinesischsprachiger Shopping-Stadtführer ausgebildet werden, der die Gruppe zusätzlich zum Reiseleiter durch die Geschäfte begleitet und die Verkäufer bei der Beratung unterstützt. Als freundliche Geste und Interesse an der chinesischen Kultur wird es zudem empfunden, wenn einige Worte in der chinesischen Sprache beherrscht werden.

Die Eröffnung eines German Style Shops wäre eine weitere Bereicherung für das Shoppingangebot in Hamburg (siehe 5.3.2.4). Für diesen speziellen Souvenirshop sollte ein strategisch günstiger Ort ausgewählt werden, an dem lange Öffnungszeiten möglich sind und der nahe einer berühmten Attraktion liegt. Für gewöhnlich gehen Chinesen gerne abends sowie am Wochenende einkaufen und beklagen sich häufig über die kurzen Öffnungszeiten in Europa (Finck 2004, S. 80). Wichtig wären daher Öffnungszeiten an Sonntagen, insbesondere für Gruppen, die Hamburg nur an diesem Tag besuchen. In diesem Sinne könnte der Souvenirshop an einem Ort mit einer Sondergenehmigung bezüglich Öffnungszeiten, wie z.B. der Reeperbahn, eröffnet werden. Die Reeperbahn wäre ein geeigneter Standort, da sie zudem auf dem Sightseeingprogramm eines jeden Hamburgbesuches steht.

Neben dem Angebot von Marken, hochwertigen Made-in-Germany-Produkten und Mitbringsel, sollten die Produkte mit Erklärungen zu Anwendung, Herkunft sowie anderen Hintergrundinformationen bestückt werden, da die

Chinesen gerne besondere Geschichten zur Herkunft der Produkte in der Heimat weitererzählen (Schmid 2005, S. 1). Der Souvenirshop für chinesische Touristen könnte zu dem generellen Angebot einen speziellen Bereich mit Hamburger Markenprodukten und Andenken aufweisen. Hier sollten Produkte der bekannten Marken präsent sein und weitere Hamburg-spezifische Mitbringsel zur Verfügung stehen, wie beispielsweise Mergendiseprodukte von Airbus, T-Shirts der Fußball-WM 2006 oder das von der Hamburg-Repräsentanz Shanghai erstellte Kartenspiel mit attraktiven Hamburg-Motiven (siehe 5.2.3.5). Shopping sollte als fester Bestandteil in den Aufenthalt von chinesischen Reisegruppen in Hamburg integriert werden.

5.4.4 Entwicklung von Packages

Für chinesische Reisegruppen sollten einerseits Packages vor Ort entwickelt sowie andererseits die Stadt in Kombination mit anderen Reisezielen angeboten werden. Im Folgenden werden zunächst Überlegungen zur Gestaltung von attraktiven Programmen in der Hansestadt Hamburg dargelegt, bevor weiterhin auf mögliche Reiserouten in Verbindung mit Hamburg eingegangen wird. Bei der Entwicklung von Packages und Programmen muss berücksichtigt werden, dass bei einer Europareise von chinesischen Reisegruppen mitunter nur ein Nachmittag für den Besuch in Hamburg vorgesehen ist. Anders könnte es hingegen in Zukunft bei Touristen aus China aussehen, die bereits zum wiederholten Mal eine Reise nach Europa unternehmen. Hier kann von einem längeren Aufenthalt zwischen einem und drei Tagen ausgegangen werden. Die Verweildauer wird daher von der Attraktivität der Angebote anhängen.

Zunächst soll ein mögliches Programm in Hamburg mit der Dauer eines Nachmittags inklusive einer Übernachtung dargestellt werden. Bei der Ankunft in Hamburg könnten die chinesische Reisegruppe nach dem schnellen Check-In in einem zentral gelegenen Hotel mittels eines Mittagessens mit original chinesischer Küche willkommen geheißen werden. Anschließend wäre eine maßgeschneiderte Stadtrundfahrt mit Fotostopps an ausgewählten Attraktionen und Highlights wie z.B. die Attraktionspunkte auf der chinesischen Hamburg-Karte (siehe Anhang 6) denkbar. Die zweite

Hälfte des Nachmittags sollte mit einem geführten Shoppingbummel in der Hamburger Innenstadt ausgefüllt werden. Zum Abendessen im Hotel könnte leichte deutsche Küche serviert werden mit einer kurzen Anleitung sowie Hintergrundinformationen zur deutschen Esskultur. Auch das Kosten von verschieden norddeutschen Biersorten wäre im Interesse der Gäste. Nach dem Essen könnte zukünftig der Besuch eines klassischen Konzerts beispielsweise in der Elbphilharmonie oder die Unterhaltung mit Glücksspiel und Karaoke in einem der Kasinos angeboten werden. Einen krönenden Abschluss würde in Zukunft mit der Eröffnung eines German Style Shops das Nacht-Shopping auf der weltberühmten Hamburger Reeperbahn bieten.

Für einen ganztägigen Aufenthalt wäre Vormittags eine Kombination aus Alster-, Stadt-, und Hafenrundfahrt geeignet, um die Highlights der Stadt zu zeigen. Die Stadtrundfahrt sollte Fotostopps bei ausgewählten Attraktionen der Stadt bieten. Das Mittagessen könnte in einem der chinesischen Restaurants oder zukünftig im chinesischen Teehaus stattfinden. Das chinesische Teehaus könnte als Zeichen der Städtepartnerschaft und Interesse an der chinesischen Kultur präsentiert werden. Nachmittags sollte eine ausgedehnte Shoppingtour zu Outletverkäufen und ausgewählten Geschäften in der Hamburger Innenstadt auf dem Programm stehen. Der Abend könnte wie bereits beschrieben ablaufen.

Für ein zweitägiges Programm würde der erste Tag aus Stadtrundfahrt und Shopping sowie dem bereits beschriebenen Abendprogramm bestehen. Am zweiten Tag wäre Vormittags eine Hafenrundfahrt mit einer kurzer Route durch die Speicherstadt und HafenCity denkbar. Möglich wäre die Fahrt vorbei an den Hamburger Stränden weiter in Richtung Willkommenhöft verlaufen zu lassen. Nach Möglichkeit könnte für die chinesische Reisegruppe beispielhaft die chinesische Nationalhymne gespielt und hierbei kurz auf die Handelsbeziehungen zwischen China und dem Hamburger Hafen eingegangen werden. Die Schifffahrt endet mit dem Besuch des bekannten Hamburger Treppenviertels Blankenese, dort ist für das Mittagessen ein chinesisches Restaurant reserviert. Der Nachmittag widmet sich den geschichtlichen Beziehungen zu China und bietet einen Ausflug zum Bismarckhaus in Friedrichsruh, wo sich einst der chinesische

Vizekönig Li Hongzhang und der ehemalige Reichskanzler trafen. Die Ausstellung über das Zusammentreffen von Bismarck und Vizekönig Li Hongzhang sollte Hintergrundinformationen über das Treffen und die beiden Personen auf Chinesisch bieten. Am Abend könnte Hamburg von der romantischen Seite dargestellt werden. Während eines Dämmertörns über die Alster würde den Gästen ein chinesisches Abendessen serviert werden. Die Bootsfahrt könnte nahe der Hamburger Spielbank enden und den Gästen dort die Gelegenheit zum Glücksspiel bieten.

Ein dritter Tag widmet sich Schlössern im Hamburger Umland, Schwerin oder Lübeck sowie einer weiteren Shoppingtour zu Geschäften nach Wahl. Zur Unterhaltung könnten je nach Reisetermin auch Veranstaltungen, wie der Hamburger Dom oder ein Fußballspiel des HSV, integriert werden.

Die Integration Hamburgs in Reiserouten für chinesische Reisegruppen ist für die Zunahme von Besucherzahlen in der Stadt von großer Bedeutung. Neben der Attraktivität des Angebots in der Stadt bilden eine gute Erreichbarkeit und Infrastruktur die Voraussetzung für die Bildung von Routen. Im Rahmen des geplanten Hamburger Tourismuspools für China sind bereits Überlegungen zu Themenreisen und Routen dargestellt worden (siehe 5.2.4), daher soll im Folgenden nur kurz auf einige weitere Ideen eingegangen werden.

Bei der großen Anzahl erstmaliger chinesischer Touristen, die nach Europa reisen, werden momentan hauptsächlich die Highlights in Mitteleuropa besucht. Die Chance auf eine Integration in diese Routen ist für Hamburg relativ gering und nur in Verbindung mit Berlin möglich. Daher sollte sich Hamburg in Verbindung mit Berlin als die größten Städte der Bundesrepublik mit entsprechenden Highlights präsentieren.

Größeres Potential besitzen die chinesische Touristen, die ein wiederholtes Mal nach Europa reisen. Hier könnte eine Route durch Nordeuropa von Helsinki nach Stockholm, London, Amsterdam, Hamburg und Berlin von Interesse sein. Auch Kopenhagen könnte in die Nordroute integriert werden, sobald Dänemark ein ADS-Abkommen mit China besitzt. Eine wesentliche Voraussetzung für die Realisierung einer Nordeuroparoute sind jedoch sehr gute Flugverbindungen zwischen den Reisezielen sowie möglichst geringe Flugkosten.

Mit der zunehmenden Anzahl von Reisen chinesischer Touristen nach Europa wird die Anfrage nach Reisen in kleineren geographischen Regionen ansteigen. Hier könnten beispielsweise Routen zu den Highlights von Deutschland und den Niederlanden zusammengestellt werden. Auf dieser Route könnte auch Hamburg mit thematischen Routen zusammen mit Lübeck, Schwerin und Bremen liegen. Hamburg sollte mit der zukünftigen Direktflugverbindung als Anfangspunkt dienen und auf der Route als Shoppinghighlight präsentiert werden. Weiterhin könnte eine Bildungsroute mit Hamburg geplant werden, da Deutschland für viele Chinesen ein beliebter Studienort ist (siehe auch 4.4.2). Die Hansestadt Hamburg könnte in Deutschland mit weiteren Studienorten zu einer Route verbunden werden sowie Highlights um Deutschland herum ansteuern wie Amsterdam und Paris. Auf dieser Reise wird der Schwerpunkt auf die Besichtigung der Universitäten mit einem Ansprechpartner vor Ort gelegt. Zusätzlich könnte ein Sightseeing- und Shoppingprogramm in den jeweiligen Städten und berühmten europäischen Metropolen nahe der Bundesrepublik Deutschland stattfinden. Auf lange Sicht sollten weitere Routen und Programme mit unterschiedlicher Thematik wie Sport oder Bildung geschaffen werden.

5.5 Zusammenfassung

Die Anpassung der vorhanden Produkte und Dienstleistungen sind von großer Bedeutung, da diese von chinesischen Touristen bisher oft als mangelhaft bewertet werden. Am Beispiel der Hansestadt Hamburg wurden mögliche Schritte zur Anpassung des Angebots aufgezeigt. Dieses wurde in Form von einer Analyse des bestehenden Angebots, Best Practice Beispielen und Handlungsempfehlungen für eine weitere Produktanpassung dargestellt. Die Grundlage für dieses Kapitel bildeten eine Sekundärrecherche und Expertenaussagen.

Bei der Ist-Analyse wurde zuerst auf die Vielzahl der Akteure im Rahmen des Hamburger China-Tourismus eingegangen. In diesem Bereich fallen insbesondere den über 350 in Hamburg ansässigen chinesischen Unternehmen und den intensiven Handelsbeziehungen zu China sowie der fast 20-jährigen Städtepartnerschaft mit Shanghai eine große Bedeutung zu.

Von außerordentlicher Wichtigkeit für den chinesischen Incomingtourismus ist die Hamburg Tourismus GmbH (HHT) und die Hamburg-Repräsentanz in Shanghai. Zusammen mit weiteren Partnern ist ein Projekt zum Ausbau der Hansestadt als besonders attraktivem Standort für chinesische Touristen geplant. Aufgrund einer großen Chinakompetenz wird Hamburg in Europa als wichtigstes "China-Zentrum", "Chinas Tor zu Europa" oder "Burg der Chinesen" gesehen. In China ist Hamburg als Hafen- und Handelsstadt, hingegen jedoch kaum als Reiseziel, bekannt. Die Hansestadt Hamburg wird als internationale Weltstadt mit geschichtlichem, kulturellem und maritimen Bezug positioniert. In Zukunft soll Hamburg als "Eingangsportal zu Europa" für den chinesischen Incomingtourismus etabliert werden. Erster Priorität gilt daher der geplanten Direktflugverbindung zwischen Hamburg und Shanghai. Zu Informationszwecken sind neben einigen existierenden Materialien weitere Maßnahmen geplant wie z.B. eine Flughafen- und Imagebroschüre. Im Folgenden ist insbesondere die chinesische Hamburg-Karte von zentraler Bedeutung. Sie stellt Attraktionen nach den chinesischen Interessen dar. Im Bereich der Beherbergung sind bisher mit Abstand die meisten Vorbereitungen getroffen worden. Für die Verpflegung bietet die Hansestadt allein mehr als 300 chinesische Restaurants. Auf einer chinesischsprachigen Stadtrundfahrt werden überwiegend die klassischen Sehenswürdigkeiten der Stadt abgefahren. Für die Unterhaltung ist neben klassischen Konzerten und Kasinos besonders die Reeperbahn als Amüsiermeile bekannt. Hamburg weist im Bereich des Shoppings eine große Attraktivität auf, wird als reiche Handelsstadt jedoch oft mit hohen Preisen assoziiert. Einzelne Geschäfte bereiten sich auf chinesische Gäste vor und es ist die Entwicklung eines Shoppingpasses in Planung. Für Souvenirs sind insbesondere bekannte Hamburger Markenunternehmen von Interesse. Bisher existieren weder spezielle Produkte noch Packages für chinesische Touristen. Innerhalb des Projektes "Hamburger Tourismus Pool für China" ist die Entwicklung von Programmen, Routen und Themenreisen speziell für chinesische Touristen geplant.

Als Best Practice Beispiele wurden besonders vorbildliche Maßnahmen zur Vorbereitung auf den chinesischen Incomingtourismus dargestellt. Von besonderer Bedeutung in diesem Bereich ist die jährliche Verleihung des

"European Chinese Tourist Welcoming Award" an Vorbilder für den chinesischen Incomingmarkt. Im Rahmen einer erfolgreichen Positionierungsstrategie auf dem chinesischen Markt werden Heidelberg und Hameln herangezogen. Bei der touristischen Dienstleistungskette werden für jede Stufe Best Practice Beispiele von Leistungsträgern betrachtet. Hierbei können im Bereich der Beförderung die Schritte des Flughafens München als Vorbildfunktion gesehen werden, während bei der Information vor Ort kein klares Best Practice Beispiel ausfindig gemacht werden konnte. Die Beherbergungsindustrie bietet hingegen eine Vielzahl an mustergültigen Einrichtungen, wie z.b. die Accor-Gruppe oder der Leitfaden der Hotellerieswiss oder des Bayrischen Hotel- und Gaststättenverbandes. Im Bereich von Attraktionen und Unterhaltung wird auf die Hintergründe von beliebten Attraktionen wie das Karl Marx Geburtshaus eingegangen. Im Bereich Shopping und Souvenirs werden die Maßnahmen in Trier und die innovativen Souvenirshops der Firma German Style Tax Free Shop beleuchtet. Im Bereich der Packages werden Hintergründe von beliebten Reiserouten als Beispiel betrachtet.

Unterstützend für die Handlungsempfehlungen dienten die Nachfrageanalyse chinesischer Touristen, die Expertenaussagen und die Best Practice Beispiele. Im Bereich der Akteure sollten weitere Schulungsmaßnahmen für Mitarbeiter von Leistungsträgern stattfinden. Weiterhin könnte die in Hamburg ansässige Reiseleiterschule besser genutzt werden, um qualifizierte Reisebegleiter für die Leitung von chinesischen Reisegruppen in der Stadt auszubilden.

Bei der Positionierung ist zu beachten, dass Hamburg nicht in das typische Deutschlandbild der Chinesen hineinpasst, sondern eher in die skandinavische Region. Die Positionierung der Hansestadt Hamburg sollte aber trotzdem mit der des Reiselandes Deutschland abgestimmt sein und könnte einen Schwerpunkt auf Hamburg als Shoppingmetropole mit Kultur legen. In der touristischen Dienstleistungskette sind, beginnend mit der Beförderung, die Gegebenheiten am Hamburger Flughafen zu verbessern. Die Gäste des ersten Direktflugs aus China sollten mit einer Veranstaltung am Flughafen Willkommen geheißen werden. Generell könnte über chinesischsprachige Begrüßungskomitees und einen chinesischen Internetauftritt nachgedacht werden. Bei der Entwicklung von weiterem Informationsmaterial über die Hansestadt Hamburg sollte darauf geachtet werden, die Inhalte nicht nur in das Chinesische zu übersetzen, sondern auch die Informationen entsprechend anzupassen. Hier könnte z.B. die Homepage über den Hamburg Tourismus erweitert sowie entsprechende Informationsmaterialien in den Hotels bereitgestellt werden.

In der Hamburger Hotellerie wäre es empfehlenswert, Mindeststandards für chinesische Gäste einzuführen und das Hotelpersonal für diesen Gästekreis zu schulen. Im Rahmen der Verpflegung könnte neben einer Schulung der Mitarbeiter auch für chinesische Reisegruppen eine kleine Einführung in die deutsche Küche mit leicht bekömmlichen Speisen angeboten werden. Als Attraktionen der Stadt müssten weniger die klassischen Angebote als mehr Sehenswürdigkeiten nach chinesischem Geschmack, im Sinne der chinesischen Hamburg-Karte, in den Vordergrund gerückt werden. In Zukunft könnte Hamburg durch die Elbphilharmonie nicht nur einen einzigartigen Anziehungspunkt hinzu gewinnen, sondern mit den dort stattfindenden klassischen Konzerten einen Höhepunkt auf einer Europareise darstellen. Neben anderen Angeboten sollte die Reeperbahn als Amüsiermeile attraktiver für chinesische Reisegruppen gestaltet werden. Als Souvenirs können vor allem die Produkte von Hamburger Markenunternehmen dienen und die Einzelhändler in der Innenstadt sollten das Einkaufen für chinesische Touristen attraktiver gestalten. Bei Programmen in Hamburg kann neben einer Sightseeingtour auch das Shopping ein fester Bestandteil sein. Für Routen und Themenreisen könnte Hamburg in Deutschland fest mit Berlin verbunden werden und interessante Route mit nordeuropäischen Städten bilden. Die Nachfrage nach Deutschland als Bildungsland könnte genutzt werden, um Routen zu beliebten Universitätsstädten und den Highlights der umliegenden Länder zu kombinieren. Außerdem wäre es möglich, dass in Zukunft auch Routen in kleineren geographischen Räumen attraktiv erscheinen bei denen Hamburg als Anfangs- und Endziel einer Rundreise dienen könnte.

6 Fazit und Ausblick

Mit der Zunahme von chinesischen Touristen in Europa wird das Verständnis des Marktes und die Orientierung an den Bedürfnissen der Zielgruppe von großer Wichtigkeit sein. In Hamburg haben viele Akteure die Bedeutung der Vorbereitungen für den chinesischen Incomingtourismus erkannt. Die herausragende China-Kompetenz der Hansestadt im wirtschaftlichen Bereich soll genutzt und nun auch für den Tourismus weiter ausgebaut werden. Im Rahmen des Projektes "Hamburger Tourismuspool für China" werden spezielle Maßnahmen zur Ausrichtung des Angebots für chinesische Touristen eingeleitet.

Es gilt die Destination Hamburg erfolgreich für den chinesischen Incomingtourismus zu platzieren, indem attraktive Angebote für chinesische Touristen geschaffen werden. Hierbei ist es einerseits wichtig, Hamburg mit anderen Reisezielen zu verbinden und anderseits das Angebot und die Programme in der Stadt entsprechend den Bedürfnissen von chinesischen Touristen zu gestalten. Dabei sollte das Interesse an berühmten Attraktionen und dem Einkaufen, sowie das überwiegend geringe Hintergrundwissen über die westliche Kultur berücksichtigt werden. So könnten bei einem Hamburgbesuch die Einkaufsmöglichkeiten stärker betont und ein Sightseeingprogramm zu den auf der chinesischen Hamburg-Karte dargestellten Attraktionen entwickelt werden. Ebenso wichtig ist aufgrund des Dienstleistungscharakters die Schulung vom Personal der Leistungsträger und die Ausbildung von chinesischen Reiseleitern für die Hansestadt Hamburg zu fördern. Weiterhin sollten die Besonderheiten dieser Zielgruppe von den Leistungsträgern entlang der touristischen Dienstleistungskette beachtet und Angebote entsprechend gestaltet werden. Einige Vorbereitungen lassen sich mit einfachen Mitteln umsetzen, während es bei Anderen größerer Aufwendungen bedarf.

Für chinesische Touristen, die ein wiederholtes Mal nach Europa reisen, könnte Hamburg zukünftig mit nordeuropäischen Reisezielen zu einer Nordroute verbunden sowie als Ausgangspunkt einer Themenreise zur Besichtigung von Studienorten und einer Rundreise eines kleineren geographische Raums dienen. Von wesentlicher Bedeutung sind aber vor allem gute Partnerschaften und Kooperation zwischen den Akteuren.

Die Besucherströme aus China sind einerseits abhängig von der Bekanntheit eines Zielgebiets sowie andererseits auch von maßgeschneiderten Angeboten. Es ist aber zu betonen, dass eine Produktanpassung für chinesische Touristen bei weitem nicht für alle Regionen in Deutschland gleichermaßen relevant ist, sondern sich hauptsächlich auf deutsche Großstädte und Orte mit entsprechenden Attraktionen bezieht. Je reise erfahrener chinesische Touristen werden und je gesättigter die Nachfrage für Rundreisen zu den europäischen Sehenswürdigkeiten ist, desto spezieller sollten die Angebote gestaltet werden. Diesbezüglich ist neben einer guten Marktkenntnis auch eine genaue Bedarfsermittlung sowie eine hervorragende Erfüllung der Bedürfnisse unerlässlich. "Future travel by the Chinese to destinations will depend, to a large extent, on satisfaction with tourism products and the delivery of those products[3]" (Junek; Binney; Deery 2004, S. 17).

Eine größere Reiseerfahrenheit der Bevölkerung und geringere Regulierungen seitens der chinesischen Regierung wird den Zuwachs von Reisen nach Europa fördern. Mit der Entwicklung des chinesischen Incomingtourismus werden weitere Anpassungen von Bedeutung sein. In jedem Fall wird die Heterogenität des chinesischen Marktes zunehmen und damit eine feinere Untergliederung der Marktsegmentierung erfordern. Eine Vorreiterfunktion hierfür übernimmt Hongkong aufgrund geringer Regulierungen für die Vergabe von Visa und der Fortschrittlichkeit der Region. Schon heute erfreuen sich dort Individual-- und Rucksacktourismus nach Europa steigender Beliebtheit bei der jüngeren Generation, während Gruppenreisen überwiegend den Interessen der älteren Bevölkerungsschicht vorbehalten sind.

---

[3] Die Destinationen für zukünftige Reisen der chinesischen Bevölkerung werden zum großen Teil von der Zufriedenheit mit den touristischen Angeboten sowie auch der Leistungserfüllung abhängig sein.

7 Literaturverzeichnis

Arentzen, U. (1997): Gabler Wirtschaftslexikon. 14., vollständig
überarbeitete und erweiterte Auflage, Wiesbaden.

Arlt, W. (2005a): Cross cultural tourism behaviour: Travel motivation in
Germany and in China- Why do Germans travel to China- And chinese
travellers to Germany. Stralsund.

Arlt, W. (2005b): Freizeit- und Tourismusverhalten in Europa, Japan und
China im Vergleich. Vortrag Leisure and Recreation Association-Kongress,
Bremen.

Arlt, W. (o. J.): Chinesischer Outbound-Tourismus in Deutschland:
Entwicklung – Perspektiven – Herausforderungen. Stralsund.

Ballhaus, J. (2005): Zukunftsmarkt China. In: Absatzwirtschaft- Zeitschrift für
Marketing, Heft 5. Düsseldorf. S. 30-35.

Bayerischer Hotel- und Gaststättenverband e. V. (Hrsg.) (o. J.): Andere
Länder, andere Sitten- Interkulturelle Kommunikation für Hoteliers,
Gastronomen und Touristiker. München.

Berlin Tourismus Marketing GmbH (BTM) (Hrsg.) (2005a): BTM eröffnet
neuen Shop für chinesische bzw. asiatische Besucher am
Brandenburger Tor. Pressemeldung vom 15.08.2005, Berlin.

BTM (Hrsg.) (2005b): German Style Shop für asiatische Besucher am
Brandenburger Tor eröffnet. Pressemeldung vom 19.08.2005.
http://www.berlin-tourist-information.de/deutsch/presse/download/
d_pr_396_german-style-shop.pdf, Stand: 07.09.2005.

Bieger, T. (1998): Tourismusmarketing im Umfeld der Globalisierung: Aktuelle
Herausforderungen, innovative Lösungen und neue Strukturen. In:
Thexis, Heft 3, St. Gallen. S. 2-15.

Bieger, T. (2000a): Dienstleistungsmanagement. Einführung in Strategien und
Prozesse bei persönlichen Dienstleistungen. 2., überarbeitete und
ergänzte Auflage. Bern /Stuttgart /Wien.

Bieger, T. (2000b): Management von Destinationen und
Tourismusorganisationen. München.

Bieger, T. (2002): Management von Destinationen. 5. Auflage. München/
Wien.

Bieger, T. (2004): Tourismuslehre- Ein Grundriss. Bern.

Booth, G. (2004): In China achtet man das Gesicht.
http://www.sinalingua.de/html/rnz.html, Stand 07.07.2005.

Brockhoff, K. (1999): Produktpolitik. 4., neubearbeitete und erweiterte
Auflage. Stuttgart.

Bruhn, M.; Meffert, H. (Hrsg.): Handbuch Dienstleistungsmanagement.
Wiesbaden.

Chen, M. (o. J.): Interkulturelles Seminar zur Marktbearbeitung China- Der
erfolgreiche Umgang mit chinesischen Hotelgästen. Vortrag, Hamburg.

Chen, M. (2004a): Die Tourismusindustrie und die Entwicklung des
chinesischen Tourismus.www.hamburgshanghai.net/
articlehamburg%5C11-04%5CTourism,%20Culture%
20&%20 Sport%5Ccaissa.htm, Stand: 11.05.2005.

Chen, M. (2004b): Warum die Chinesen kommen-
Entstehung, Struktur und

touristische Angebote des chinesischen Reisemarktes. Vortrag, Hamburg.

China Outbound Tourism Research Project (COP) (Hrsg.) (2004): Newsletter February 2004. Stralsund.

COP (Hrsg.) (2004a): Newsletter October 2004. Stralsund.

COP (Hrsg.) (2004b): Newsletter December 2004. Stralsund.

COP (Hrsg.) (2005c): ECTW Award- Background Information. Press Information, Stralsund.

COP (Hrsg.) (2005a): COP- China Outbound Tourism Research Project. Press Information, Stralsund.

COP (Hrsg.) (2005b) ECTW Awards for excellence in welcoming tourists from China presented to 15 European companies and organisations at ITB Fair in Berlin, Press Release, Stralsund.

COP (Hrsg.) (2005c): Newsletter June 2005. Stralsund.

COP (Hrsg.) (2005d): Facets of the Outbound Market. In: COP. Newsletter June 2005. Stralsund.

COP (Hrsg.) (2005e): China Outbound Research Project. www.china-outbound.com, Stand: 10.05.2005.

Davidson, R; Hertrich, S., Schwandner, G. (2004): How can Europe capture Chinese MICE?. APTA Conference 2004, Nagasaki.

Deutsche Zentrale für Tourismus- China (DZT) (Hrsg.) (2004): Marktinformationen China/Hongkong 2004. Peking.

DZT-China (Hrsg.) (2005): Marktinformationen China/ Hongkong 2005. Peking.

Deutsches Wirtschaftwissenschaftliches Institut für Fremdenverkehr e. V. (DWIF) (Hrsg.) (2001): Grundlagenstudie für den Hamburg Tourismus 2001- Aktuelle Daten und Perspektiven für die touristische Zukunft Hamburgs. Hamburg.

DWIF (Hrsg.) (2003): Infobrief Nr. 3- Verhaltene Erwartungen an die Saison 2003 verstärken die Bemühungen um Neukundschaft. www.sparkassen-tourismusbarometer-sh.de/download/va_20030513_infobrief3.pdf, Stand: 30. 06.2005.

Dronski, A.; STRATEGY Wirtschaftsberatung GmbH (Hrsg.) (2004): Konzept für Einkaufstourismus aus China in Berlin. Kurzfassung, Berlin.

Ellrodt, N. (o. J.): ADS für 26 europäische Länder- Die Chinesen kommen!. www.hamburgshanghai.net/articlehamburg%5C02-05%5Ctourism, %20Culture %20&%20Sport%2002-05%5CHRS.htm, Stand: 11.05.2005.

Ferner, F.-K.; Pötsch, W. (1998): Marken Lust und Marken Frust. Wien.

Finck, R. (2004): Chinas Outgoing Tourismus am Beispiel der Destination Deutschland. Diplomarbeit, Hochschule Bremen, Dessau.

Fink, H.-J. (2002): Hamburg hofft auf China TOURISMUS- Wie die Stadt mehr Reisende aus dem Reich der Mitte an die Elbe holen will. In: Hamburger Abendblatt, 09.09.2002, Wirtschaft. www.abendblatt.de/daten/2002/09/09/66995.html, Stand: 07.07.2005.

Fontanari, M. L.; Scherhag, K. (Hrsg.) (2000): Wettbewerb der Destinationen-Erfahrungen -Konzepte- Visionen. 1. Auflage. Wiesbaden.

Freter, H. (1998): Marktsegmentierung im Dienstleistungsbereich. In: Bruhn, M.; Meffert, H. (Hrsg.): Handbuch Dienstleistungsmanagement.

Wiesbaden. S. 229-259.

Freyer, W. (1999): Tourismus-Marketing. 2. Auflage, München/Wien.

Freyer, W. (2001): Tourisums- Einführung in die Fremdenverkehrsökonomie. 7. Auflage. München/ Wien.

Fuchs, M. (2002): Modeerscheinung oder strategische Notwendigkeit? Destinationsbenchmarking am Beispiel alpiner Wintersportorte. In: Revue de Tourisme- The Tourist Review- Zeitschrift für Fremdenverkehr, Heft 3. AIEST Association Internationale d´Èxperts Scientifiques du Tourisme (Hrsg.), St. Gallen. S. 20-28.

Global Refund Deutschland GmbH (Hrsg.) (2003): Einkaufstourismus in Deutschland-Global Refund Shopping Tourist Barometer 2002. Presse-Präsentation März 2003,   Düsseldorf.

Global Refund Deutschland GmbH (Hrsg.) (2005): Tax-free Shopping with Global Refund. Düsseldorf.

Guo, W. (2002): Strategies for entering the Chinese Outbound travel Market. Dissertation, Victoria University, Melbourne.

Haedrich, G.; Tomczak, T. (1996): Produktpolitik. Stuttgart/ Berlin/ Köln.

Haedrich, G. (1998a): Destination Marketing- Überlegungen zur Abgrenzung, Positionierung und Profilierung von Destinationen. In: Revue de Tourisme-The Tourist Review- Zeitschrift für Fremdenverkehr, Heft 4. AIEST Association Internationale d´Èxperts Scientifiques du Tourisme (Hrsg.), St. Gallen. S. 6-12.

Haedrich, G.; Kaspar, C.; Klemm, K.; Kreilkamp, E. (Hrsg.)(1998b): Tourismus-Management. 3., neu bearbeitete und erweiterte Auflage, Berlin/ New York.

Haedrich, G. (2001): Branding und Positionierung von Destinationen. In: Bieger, T.; Pechlaner, H., Steinecke, A. (Hrsg.): Erfolgskonzepte im Tourismus- Marken- Kultur- Neue Geschäftsmodelle. Schriftenreihe Management und Unternehmenskultur, Bd. 5, Wien. S. 41-50.

Haedrich, G.; Tomczak, T.; Kaetzke, P. (2003): Strategische Markenführung- Planung und Realisierung von Markenstrategien. 3., vollständig überarbeitete, erweiterte und aktualisierte Auflage. Bern/ Stuttgart/ Wien.

Haedrich, G. (o. J.): Branding und Positionierung von Destinationen. www.wiwiss.fu-berlin.de/w3/w3touri/Download/Vortraege/jahrgang2001/ ITB.PDF, Stand: 01.08.2005.

Hamburg-Repräsentanz Shanghai (Hrsg.) (2004): Chinesische Sprache-Wichtiger Schlüssel für den China-Standort Hamburg. www.hamburgshanghai.net/articlehamburg0804/Thats%20Up%200804/ HH_Services_Chin.htm, Stand: 11.05.2005.

Hamburg-Repräsentanz Shanghai (Hrsg.) (2005a): Hamburg-Liasion Office Shanghai. www.hamburgshanghai.net, Stand: 10.05.2005.

Hamburg-Repräsentanz Shanghai (Hrsg.) (2005b): Hamburg-Liasion Office Shanghai entwickelt innovative Werbeprodukte für die Hansestadt. www.hamburgshanghai.net/articlehamburg%5C02-05%5Cthats% 20Up%2002-5%5Cinfoprodukte.htm, Stand: 11.05.2005.

Hamburg-Repräsentanz Shanghai (Hrsg.) (2005c): Hamburg in Shanghai-Kalender 2005. www.hamburgshanghai.net, Stand: 11.05.2005.

Hamburg Tourismus GmbH (HHT) (Hrsg.) (2002): Hamburg Point of Sale-Wirtschaftsfaktor Tourismus. Hamburg.

HHT (Hrsg.) (2003): Hamburg Gateway to the world- Erste chinesische ADS-Reise nach Deutschland/ Hamburg begrüßt die ersten chinesischen Touristen.http://www.hamburg-tourism.de/fileadmin/files/B2B/Presse/News/Texte/Gateway.rtf, Stand: 14.05.2005.

HHT (Hrsg.) (2005a): Marketingplan- Hamburg Tourismus 2005-2008. Hamburg.

HHT (Hrsg.) (2005b): Markt China- Die Chinesen kommen! Hamburg.

HHT (Hrsg.) (2005c): Hamburg will die chinafreundlichste Stadt Europas werden.http://fhh.hamburg.de/stadt/Aktuell/pressemeldungen/2005/januar, Stand: 10.05.2005.

HHT (Hrsg.) (2005d): Hamburg gemeinsam erleben- Programme, Packages, Hotels für Gruppen. Gruppenreisekatalog 2006, Hamburg.

HHT et al. (Hrsg.) (2005e): Projektbeschreibung "China-Tourismus/ Direktflug". Unveröffentlichtes Dokument, Hamburg.

HHT et al. (Hrsg.) (2005f): Hamburger Tourismus Pool für China- Angebot der HHT für die Hamburger Tourismuswirtschaft. Unveröffentlichtes Dokument, Hamburg.

Handelskammer Hamburg (Hrsg.) (2000): Die Zukunft liegt am Wasser-Perspektiven des Tourismusstandorts Hamburg. www.hk24.de, Stand: 08.07.2005.

Hasse, M. (2005): Tourismus in Trier- Kasse machen mit Karl Marx. In: Spiegel Online, 12.05.2005, Hamburg. http://www.spiegel.de/reise/kurztrip/0,1518,355661,00.html, Stand: 07.07.2005.

Herle, F. B. (2003): Strategische Planung grenzenloser Destinationen-Vertikale und branchenübergreifende Erweiterung Touristischer Regionen. Dissertation, Universität Lüneburg, Berlin.

Hermanns, A.; Wissmeier, U. K. (2001): Internationalisierung von Dienstleistungen. In: Bruhn, M.; Meffert, H. : Handbuch Dienstleistungsmanagement. 2., überarbeitete und erweiterte Auflage. Wiesbaden.

Hinterhuber, H.; Handlbauer, G.; Matzler, K. (1997): Kundenzufriedenheit durch Kernkompetenzen. München/ Wien.

Hotellerieswiss; Switzerland Tourism (Hrsg.) (2004): Hello China- Swiss Hospitality for Chinese Guests. Zürich.

Junek, O.; Binney, W.; Deery, M. (2004): Meeting the Needs of the Chinese Tourists- The Operators' Perspective'. ASEAN Journal of Hospitality and Tourism. Volume 3, Number 2. Melbourne.

Kaspar, C. (1996): Die Tourismuslehre im Grundriß. St. Galler Beiträge zum Tourismus und zur Verkehrswirtschaft, Bd. 1. 5., nicht überarbeitete Auflage, Bern/ Stuttgart.

Keller, P. (1998): Globaler Wettbewerb der Destinationen- Herausforderungen für das kooperative Tourismusmarketing. In: Thexis, Heft 3, S. 44-46.

Kerler, K. (2005): Städtedestinationen als Marke- Die Destinationsmarke Hamburg im Vergleich zu ausgewählten europäischen Metropolen. Diplomarbeit, Fachhochschule München, Hamburg.

Konken, M. (2004): Stadtmarketing- Kommunikation mit Zukunft. Meßkirch. S. 63-69.

Kotler, P; Bliemel, F. (1999): Marketing-Management- Analyse, Planung, Umsetzung und Steuerung. 9., überarbeitete und aktualisierte Auflage, Stuttgart.

Krause, C. (2004a): Shanghai baut Teehaus in Hamburg- Eine kurze Einführung in die Teehauskultur. China-Kooperationsstelle, Hamburg. www.hamburgshanghai.net, Stand: 11.05.2005.

Krause, C. (2004b): Hamburg auf Chinesisch. Projekt der China-Kooperationstelle im Hamburger Senat, unveröffentlichtes Dokument. Hamburg.

Krause, C. (2005): Am 9. Februar beginnt das Jahr des Hahns- Chinesisches Frühlingsfest 2005 in Hamburg. China-Kooperationsstelle, Hamburg. www.hamburgshanghai.net, Stand: 11.05.2005.

Kreilkamp, E. (1998): Produkt- und Preispolitik. In: Haedrich, G., C. Kaspar, K. Klemm, E. Kreilkamp (Hrsg.): Tourismus-Management. 3., neu bearbeitete und erweiterte Auflage, Berlin/ New York.

Krems, B. (2003): Online-Verwaltungslexikon olev.de. www.olev.de/b/best-practice.htm, Stand: 30.09.2005.

Kuß, A.; Tomczak, T. (1998): Marketingplanung- Einführung in die marktorientierte Unternehmens- und Geschäftsfeldplanung. Wiesbaden.

Lew, A. A. et al. (2003): Tourism in China. Binghamton, S. 278-293.

Luft, H. (2001): Organisation und Vermarktung von Tourismusorten und Tourismusregionen- Destination Management. 1. Auflage, Meßkirch.

Maunder, H. (2004a): City Shopping. In: Hamburg News, China-Spezial 2004. S. 3.

Maunder, H. (2004b): China-Touristen in Hamburg- Shopping schlägt Sightseeing. In: Hamburg News, China-Spezial 2004. S. 4.

Max, C. (2005): Vermerk Hamburger Chinaaktivitäten. Internationale Zusammenarbeit, Hamburger Senatskanzlei. Unveröffentlichtes Dokument, Hamburg.

Meffert, H. (1998): Marketing-Management- Grundlagen marktorientierter Unternehmensführung. 8., vollständig neubearbeitete und erweiterte Auflage. Wiesbaden.

Meffert, H. (2000a): Marketing-Management- Grundlagen marktorientierter Unternehmensführung. 9., vollständig neubearbeitete und erweiterte Auflage. Wiesbaden.

Meffert, H., Bruhn, M. (Hrsg.) (2000b): Dienstleistungsmarketing. Grundlagen- Konzepte- Methoden. 3., vollständig überarbeitete und erweiterte Auflage. Wiesbaden.

Mundt, J. W. (1998): Einführung in den Tourismus. München/ Wien.

Mussner R.; Pechlaner, H.; Schönhuber, A. (Hrsg.) (1999): Destinationsmanagement- delle destinazione. Chur/ Zürich.

Nordrhein-Westfalen Tourismus e. V. (Hrsg.) (2003): China 2003- Zusammenfassung von Marktinformationen, Köln.

o. V. (2004): Touristik-Branche erwartet Reiseboom aus China. http://www.franchise-net.de/de/news/index_20040920120145.html, 29.04.2005.

o. V. (2005a): Fußball-WM- Chance für Hamburg. In: Hamburger Abendblatt, 14.02.2005, Hamburg. www.abendblatt.de/daten/2005/02/14/398686.html, Stand: 07.07.2005.

o. V. (2005b): Was Chinesen am liebsten aus Deutschland mitbringen. In: Spiegel Online, 19.08.2005, Berlin/ Peking. www.spiegel.de/reise/ metropolen/0,1518,370538,00.html, Stand: 19.08.2005.

o. V. (o. J.): Vorstellung des "Training Institute for Chinese Speaking Tour Guides in Europe". Hamburg.

Pechlaner, H. (2003): Tourismus-Destinationen im Wettbewerb. Wiesbaden.

Pötsch, F. (2004): Munich Airport´s Application for ECTW Marketing Award 2005. Präsentation. http://www.china-outbound.com/award_history.htm, Stand: 10.06.2005.

PricewaterhouseCoopers; The Canadian Tourism Commission (Hrsg.) (2001): Research on the Chinese Outbound Travel Market Report. Ottawa.

Raza, I. (2005): Heads in Beds- Hospitality and Tourism Marketing. New Jersey.

Roth, S. (1998): The Chinese Outbound Travel Market- Overall situation and Specific aspects of travel to Europe. Krems.

Roth, P.; Schrand, A. (2003): Touristikmarketing. 4. Auflage. München.

Rudolph, H. (1999): Tourismus- Betriebswirtschaftslehre. München/ Wien.

Scandinavian Tourist Board Tokyo (Hrsg.) (2002): Chinese Outbound Travel Market Report. Research Project June 2002. Tokyo.

Scandinavian Tourist Board Tokyo (Hrsg.) (2004): Chinese Outbound travel Market- 2004 Update. Tokyo.

Schmid, E. D. (2005): Scharfes für Chinesen- Am Brandenburger Tor gibt es jetzt einen speziellen Touristen-Laden. In: Berliner Zeitung, 20.08.2005 http://www.berlinonline.de/berliner-zeitung/berlin/475764.html, Stand: 07.09.2005.

Schmidt, F. (o. J.): destinations management monitor austria (dmma)- Destinationen als Markenerlebniswelten. Invent GmbH. Klagenfurt.

Scherhag, K. (2003): Destinationsmarken und ihre Bedeutung im touristischen Wettbewerb. Köln.

Schroeder, G. (2002): Schroeder- Lexikon der Tourismuswirtschaft. 4. Auflage, Hamburg.

Seibold, M.; Ballhaus, J. (2005): Best Practice- Geduldspiel um den Erfolg. In: Absatzwirtschaft- Zeitschrift für Marketing, Nr. 5. Düsseldorf. S. 36-38.

Senatskanzlei der Freien- und Hansestadt Hamburg (Hrsg.) (2004): Chinastandort Hamburg-Untersuchung bestätigt Hamburgs Asienkompetenz. http://fhh.hamburg.de/stadt/Aktuell/pressemeldungen/ 2004/februar, Stand: 10.05.2005.

Senatskanzlei der Freien- und Hansestadt Hamburg (Hrsg.) (o. J.): Faszinierende Kultur Chinas in Hamburg. www.wachsende-stadt.hamburg.de, Stand: 10.05.2005.

Sommer, G. (o. J.): Business Case Destination Schengen Staaten-Incoming Strategien für den chinesischen Markt als Tourismusquellmarkt. Diplomarbeit, Universität Trier, Niedenstein.

Sommer, J. (2004): Chinesische Schriftzeichen in Hamburg. Seminararbeit, Universität Hamburg, Hamburg.

Statistikamt Nord (Hrsg.) (2005a): Ankunfts- und Übernachtungszahlen chinesischer Gäste   in Hamburg 1995-2004. Kiel.

Statistikamt Nord (Hrsg.) (2005b): Monatliche Ankunfts- und Übernachtungszahlen ausländischer Gäste in Hamburg 2004. Kiel.

Statistisches Landesamt (Hrsg.) (2005a): Tourismus- Ergebnisse der monatlichen Beherbergungsstatistik Dezember und Jahr 2004. Fachserie 6, Reihe 7.1. Wiesbaden.

Statistisches Landesamt (Hrsg.) (2005b): Monatliche Ankünfte und Übernachtungen ausländischer Gäste in Deutschland 2004-Juli 2005. Wiesbaden.

Steinecke, A. (2001): Markenbildung von Destinationen. In: Bieger, T.; Pechlaner, H., Steinecke, A. (Hrsg.): Erfolgskonzepte im Tourismus- Marken- Kultur- Neue Geschäftsmodelle. Schriftenreihe Management und Unternehmenskultur, Bd. 5. Wien.

Stumpfeldt, H. (2004): Ein Weihnachtsmarkt und der China Tourismus. In: Hamburger China-Notizen Nr. 36, S. 1-3. www.stumpfeldt.de/hcn36/ch.html, Stand: 10.05.2005.

Stürmer, K. v. (2005): Hamburg will Chinesen locken- Tourismus: Hansestadt bei Besuchern aus dem Reich der Mitte beliebt. In: Hamburger Abendblatt, 21.01.2005, Wirtschaft. www.abendblatt.de/daten/ 2005/01/21/389439.html?prx=1, Stand: 14.05.2005.

Tourism Australia (Hrsg.) (2003): CHINA- ADS Visitor Experience Study 2003. www.tourism.australia.com/content/China/china_study_2003.pdf., Stand: 14.05.2005.

Verhelst, V. (2003): Study of the Outbound Tourism Industry of the People's Republic of China- the Probability of a Bilateral ADS Agreement between the PRC and the Shengen Area. Dissertation, Katholische Universität Leuven, Leuven.

Wang, X. (o. J.): A Study of the Development of China's Outbound Tourism Market. o. O.

Wassink, M. (2005): Hamburg zieht mehr Gäste an- Sechs Millionen Übernachtungen in der Hansestadt- Neue Hotels drängen auf den Markt. In: Hamburger Abendblatt, 08.02.2005, Wirtschaft. www.abendblatt.de/daten/2005/02/08/396270.html,   Stand:07.07.2005.

World Tourism Organisation (WTO) (Hrsg.) (2003): Chinese Outbound Tourism. Madrid.

WTO (Hrsg.) (o. J.): Study Into Chinese Outbound Tourism- WTO – ETC Joint Research on China. o. O.

Yiu, R. (2005): Analyze, innovation, adaption, training and actions are the key words of the ACCOR Group's performance in 2004 to welcome the Chinese Market. Präsentation ECTW-Award 2005, Berlin.

Zinkler, D. (2003):Urlaubsziel Hamburg: Die ersten Chinesen kommen Pauschalreise: Endlich dürfen sie nach Deutschland: Die Touren organisiert ein Hamburger Unternehmen. In: Hamburger Abendblatt, 17.02.2003, Hamburg. www.abendblatt.de/daten/2003/02/17/ 124999.html, Stand: 07.07.2005

Anhang

Anhang 1

a) Persönliche Kontakte

Andreeßen, Christiane. Verkaufsförderung bei der Hamburg Tourismus GmbH, schriftliche Korrespondenz.

Heinsohn, Carsten. Monitoring und Consulting bei der Hamburg Tourismus GmbH, persönliche Korrespondenz.

Jordan, Kathrin. Assistentin der Regionaldorektion Mercure, schriftliche Korrespondenz.

Schellhorn, Silke Marie. DEHOGA Hamburg, schriftliche Korrespondenz.

Schmid, Carsten. Event- und Sales Manager der Heidelberg Tourismus, schriftliche Korrespondenz.

b) Expertenaussagen

Arlt, Prof. Wolfgang. Chinaexperte, Dozent für Tourismus an der Fachhochschule Stralsund und Vorsitzender des China Outbound Tourism Research Projekts, persönliches Gespräch.

Bunge, Dr. Bettina. Marketingleiterin, Hamburg Tourismus GmbH, persönliches Gespräch.

Krause, Dr. Carsten. China-Kooperationsstelle, Senatskanzlei Hamburg, persönliches Gespräch.

Lommatzsch, Horst. Destination Manager Asia, Deutsche Zentrale für Tourismus (DZT), schriftliche Korrespondenz.

Max, Dr. Cornelia. Städtepartnerschaft Hamburg-Shanghai in der Senatskanzlei Hamburg, persönliches Gespräch.

WU, Ping. Leiter des Training Instituts für chinesischsprachige Reiseleiter in Europa, Caissa Touristic (Group) AG, persönliches Gespräch.

ZHANG, Feibing. Projekt Managerin, Hamburg-Repräsentanz Shanghai, schriftliche Korrespondenz.

Anhang 2

Leitfaden Expertengespräche

1) Was interessiert Chinesen an Europa?

2) Was für ein Image hat Deutschland Ihrer Meinung nach bei chinesischen Touristen?

3) Wie positioniert sich Deutschland für chinesische Gäste?

4) Welches sind beliebte Zielgebiete der Chinesen in Deutschland?

5) Welche Reiseziele werden mit einem Besuch in Hamburg verbunden?

6) Welche Assoziationen verbinden die Chinesen mit Hamburg?

7) Welches ist das könnte das wesentliche Motiv bei einem Besuch in Hamburg sein?

8) Was macht Hamburg für chinesische Gäste interessant?

9) Wie positioniert sich Hamburg für den chinesischen Markt?

10) Was bietet Hamburg speziell für chinesische Urlauber?

11) Wie sieht ein Aufenthalt einer chinesischen Reisegruppe in Hamburg aus (Attraktionen/ Ablauf)?

12) Können Sie sagen, was in der touristischen Dienstleistungskette Hamburgs bereits auf die Bedürfnisse chinesischer Gäste ausgerichtet ist?

13) Was plant Hamburg, um die Stadt für chinesische Gäste interessanter zu machen?

14) Was könnte Hamburg Ihrer Meinung nach verbessern, damit die Stadt als Reiseziel für Chinesen interessanter wird?

Anhang 3

Musterfragebogen der Expertenbefragung

Liebe/r Frau/ Herr,

im Rahmen meiner Diplomarbeit möchte ich herausfinden, was in der Hansestadt Hamburg bereits speziell für chinesische Touristen angeboten wird. Auf dieser Basis sollen Überlegungen angestellt werden, das bestehende Angebot weiter an die Bedürfnisse dieser Zielgruppe anzupassen. Ich würde mich daher sehr freuen, wenn Sie mir die folgenden Fragen soweit möglich beantworten könnten:

1. Was für ein Image besitzt Deutschland bei chinesischen Touristen?

2. Wie positioniert sich Deutschland für chinesische Gäste?

3. Gibt es eine spezielle Positionierung Deutschlands für chinesische Urlauber?

4. Was interessiert Chinesen an Deutschland?

5. Welche Reiseziele verbinden chinesische Reisende mit einem Besuch in Hamburg?

6. Was für ein Image hat Hamburg bei den Chinesen?

7. Was macht Hamburg für chinesische Gäste interessant? Was mögen die Chinesen in Hamburg?

8. Wie positioniert sich die Hansestadt Hamburg für chinesische Touristen?

9. Was bietet Hamburg Ihrer Meinung nach speziell für chinesische Urlauber?

10. Was könnte Hamburg Ihrer Meinung nach verbessern, damit die Stadt als Reiseziel für Chinesen interessanter wird?

11. Was steht auf dem Programm bei einer Reise nach Hamburg (Attraktionen/Ablauf des Aufenthalts)? Was wollen Chinesen in Hamburg sehen? Welche Elemente enthält ein Hamburg Aufenthalt?

12. Wie könnte ein interessantes Package für chinesische Urlauber in Hamburg aussehen?

Es dankt Ihnen herzlich,

Linda von Nerée

Anhang 4

Landkarte von China

(Quelle: HHT 2005b, S. 3)

Anhang 5

a) Mehrsprachige Willkommen-Info-Guide-Plakate

(Quelle: Sommer 2004, S. 1)

b) Chinesischsprachiger Stadtplan

(Quelle : Sommer 2004, S. 6)

Anhang 6

Die chinesische Hamburg-Karte

Die chinesische Hamburg-Karte
Idee und Konzept: Hamburg-Repräsentanz Shanghai
Graphik-Design und künstlerische Ausführung: Roman Wilhelm

Kurze Erklärung der 15 auf der Karte gestalteten Selling Points Hamburgs:

1. **"Schatzkiste architektonischer Geschichte und Gegenwart"**
   Hamburgs Architekturbüros zählen zu den innovativsten Büros Deutschlands. Architekten wie Gerkan, Marg und Partner setzen hochmoderne Wahrzeichen ins Stadtbild und sind in China durch zahlreiche prestige-trächtige Projekte wie den Bau der Stadt Luchao bei Shanghai bekannt. Diese modernen Bauten stehen in Hamburg neben Zeugen der hanseatischen Kaufmannstradition wie dem Chilehaus, der Speicherstadt oder den Krameramtsstuben, die für Chinesen klassische nordeuropäische Architektur symbolisieren.

2. **"Burg der Chinesen"**
   in 2004 siedelten sich 42 chinesische Unternehmen neu in Hamburg an, damit steigt die Zahl der chinesischen Unternehmen mit Sitz in Hamburg auf 360. Keine andere deutsche oder europäische Stadt hat so viele chinesische Unternehmen zu verzeichnen. Auf diesen Trend haben sich die Hamburger

Dienstleister und Gastronomen eingestellt und bieten ein dichtes Netzwerk von Services, speziell für Chinesen.

3. **"Zentrum für IT und Medien"**
Hamburg bietet eine breite Palette von Unternehmen im Medienbereich. Neben Veröffentlichungen wie Die Zeit, Spiegel, Stern und Welt sind es vor allem die zahlreichen Kommunikations-, Werbe- und PR-Firmen, die die Hansestadt als Medienstandort auszeichnen. Im Rahmen der TIMES-Initiative des Hamburger Senates ist in 2004 ein zunehmender Austausch mit chinesischen Unternehmen in diesem Sektor entstanden.

4. **"Shopping-Metropole"**
Hamburger Marken wie Montblanc oder Tom Taylor genießen in China einen sehr guten Ruf. Luxus-Geschäfte wie Wempe oder Ladage & Oelke laden zum eleganten Shopping garantiert echter Marken ein. Chinesische Touristen geben auf Reisen pro Tag mehr Geld aus als japanische oder amerikanische Touristen, hauptsächlich für Shopping.

5. **"DER Fischmarkt Norddeutschlands"**
Ein Markt muss in China vor allem eines sein: "Renao", heiß und laut. Der Hamburger Fischmarkt mit seinen Marktschreiern liegt hier ganz im Geschmack chinesischer Touristen.

6. **"Top-Marken – Made in Hamburg"**
Einige der in China bekanntesten deutschen Marken kommen aus Hamburg: Nivea, MontBlanc, Steinway und Tom Taylor. Auch Airbus entsteht unter Hamburger Beteiligung

7. **"Hamburgs Vergnügungsmeile"**
Ein chinesisches Sprichwort besagt, es gibt vier Dinge, die echtes Vergnügen ausmachen: "Chi, He, Wan, Le" (Essen, Trinken, Spielen und Feiern). All dies bietet Hamburgs weltbekannte Vergnügungsmeile St. Pauli.

8. **"Musikstadt Hamburg"**
Chinesische Touristen lieben es, auf Spuren bekannter Persönlichkeiten zu reisen: Hamburg ist die Geburtsstadt von Johannes Brahms und es ist die Stadt, in der die Beatles ihren ersten großen Auftritt hatten. Zudem ist die Hamburger Musikhalle eine der renommiertesten Europas und der weltweit bekannteste Piano-Hersteller STEINWAY & SONS hat seinen Hauptsitz in Hamburg.

9. **"Chinesisch-Deutsche Geschichte in Hamburg"**
Gerne suchen Chinesen auf Reisen nach Spuren ihrer eigenen Kultur. Trier beispielsweise ist als Geburtsstadt von Karl Marx, dem Begründer der kommunistischen Ideologie, ein beliebtes Reiseziel

chinesischer Touristen. Auch Hamburg hat mit der Otto-von-Bismarck-Stiftung in Friedrichsruh bei Hamburg eine Spur Chinas zu bieten: Hier findet sich eine Ausstellung, die sich mit einem wichtigen chinesischen Reisenden beschäftigt. Im Jahr 1896 besuchte der chinesische Vizekönig und Reformpolitiker Li Hongzhang den Staatsmann und ehemaligen Reichskanzler Bismarck in Friedrichsruh bei Hamburg. Die Begegnung Otto von Bismarcks mit Li Hongzhang charakterisiert einen Meilenstein der chinesisch-deutschen Beziehungen. Sogar der Shanghaier Oberbürgermeister besuchte Friedrichsruh 2004 mit einer Delegation.

10. "Stadt an Elbe und Alster"
Der Inbegriff einer schönen Stadt ist in China die Provinzhauptstadt Hangzhou, 180 km von Shanghai. Dies liegt zum großen Teil am sogenannten "Westsee" im Herzen der Stadt, um den herum eine grüne Flaniermeile Erholungsurlauber anlockt. In China wird Hamburg wegen seiner Lage an der Alster und seinen vielen Grünflächen häufig mit Hangzhou verglichen. Auch die Hamburger Architekten Gerkan, Marg und Partner haben von chinesischer Seite bei der Planung der Stadt Luchao bei Shanghai konkret den Auftrag bekommen, Hamburger Flair insbesondere durch einen See im Zentrum zu übernehmen.

11. "City of Sports"
Fußball ist eine Sportart, die sich in China wachsender Beliebtheit erfreut. Die Top-Spiele der Bundesliga und teilweise auch die Länderspiele mit deutscher Beteiligung werden an den Wochenenden im chinesischen Fernsehen Live übertragen. Deutscher Fußball ist hier nach wie vor sehr beliebt. Hamburg ist da als Austragungsort der Fußballweltmeisterschaft 2006 ein begehrtes Reiseziel. Daneben sind Deutschlands bekanntestes Derby und das ATP-Tennis-Turnier am Rothenbaum in Hamburg angesiedelt.

12. "Tor nach Europa"
Hamburg ist als Business-Metropole mit exzellenter Anbindung vor allem gen Osten die erste Station auf dem Weg nach Europa. Besonders chinesische Unternehmen, die in Europa Geschäfte machen wollen, wählen hierfür Hamburg als Basis.

13. "Studium in Hamburg"
Mit seinen renommierten Universitäten, Fachhochschulen und privaten Bildungseinrichtungen zieht Hamburg zahlreiche Schüler und Studenten aus dem Ausland an. Mit Hamburgs Partnerstadt Shanghai gibt es seit 1987 einen Schüleraustausch und zahlreiche Hochschulkooperationen entstehen jedes Jahr. Viele Chinesen

nutzen Hamburg als Destination einer Bildungsreise und besuchen Summer Camps für Sprach- und andere Weiterbildungskurse.

14. **"Stadt der Romantik"**
Chinesen verbinden Deutschland häufig mit Romantik. Sie sehen auch die Deutschen und die Europäer generell als sehr romantisch an. Jedoch bietet in Deutschland nicht nur die "Romantische Straße" Romantik an. Hamburg, das "Venedig des Nordens", lädt ein zu romantischen Flitterwochen an der Alster. Auch die Schlösser in Hamburgs Umgebung wie Ahrensburg und Schwerin sind romantische Destinationen. Hamburger Luxushotels wie Atlantik oder Vier Jahreszeiten verwöhnen Frisch-Vermählte mit Wellness, Spa und zuvorkommendem Service.

15. **"Die schönsten Villen"**
Reichtum und Wohlstand sind in China neben Gesundheit eines der höchsten Güter. Man interessiert sich für Erfolg und respektiert zu Geld gekommene Familien. Hamburgs Elbchaussee präsentiert auf hanseatische Weise den traditionellen Reichtum der Hamburger Kaufmannsfamilien. Hier liegen die schönsten Villen der Stadt, mit Blick auf die Elbe.

Hamburg-Repräsentanz Shanghai:
Katja Hellkötter (Chief Representative), Pan Hua (Representative), Zhang Feibing (Project Manager) and Julia Dautel (Project Manager PR & Marketing)
C/O Delegation of German Industry and Commerce Shanghai
32 F POS Plaza, 1600 Century Avenue, Shanghai 200122, PR China
Tel.: 0086-21-5081 2266 *1621, Fax: 0086-21-6875 8531,
www.hamburgshanghai.net

Abonnement

Hiermit abonniere ich die *Schriftenreihe der School of International Business*

❏ *Europäischer Studiengang für Wirtschaft und Verwaltung (ESWV)*
(**ISSN 1863-9798**)**,** herausgegeben von Hans-Jürgen Busse,
❏ *Internationaler Studiengang für Tourismusmanagement (ISTM)* (**ISSN 1863-9798**)**,**
herausgegeben von Felix Bernhard Herle,

❏ ab Band # 1
❏ ab Band # ___
   ❏ Außerdem bestelle ich folgende der bereits erschienenen Bände:
   #___, ___, ___, ___, ___, ___, ___, ___, ___, ___, ___, ___

❏ ab der nächsten Neuerscheinung
   ❏ Außerdem bestelle ich folgende der bereits erschienenen Bände:
   #___, ___, ___, ___, ___, ___, ___, ___, ___, ___, ___, ___

❏ 1 Ausgabe pro Band   ODER   ❏ ___ Ausgaben pro Band

Bitte senden Sie meine Bücher zur versandkostenfreien Lieferung innerhalb Deutschlands an folgende Anschrift:

Vorname, Name: _____

Straße, Hausnr.: _____

PLZ, Ort: _____

Tel. (für Rückfragen): _____ *Datum, Unterschrift:* _____

Zahlungsart

❏ *ich möchte per Rechnung zahlen*

❏ *ich möchte per Lastschrift zahlen*

bei Zahlung per Lastschrift bitte ausfüllen:

Kontoinhaber: _____

Kreditinstitut: _____

Kontonummer: _____ Bankleitzahl: _____

Hiermit ermächtige ich jederzeit widerruflich den *ibidem*-Verlag, die fälligen Zahlungen für mein Abonnement von meinem oben genannten Konto per Lastschrift abzubuchen.

Datum, Unterschrift: _____

Abonnementformular entweder **per Fax** senden an: **0511 / 262 2201** oder 0711 / 800 1889
oder als **Brief** an: *ibidem*-Verlag, Julius-Leber Weg 11, 30457 Hannover oder
als **e-mail** an: **ibidem@ibidem-verlag.de**

ibidem-Verlag

Melchiorstr. 15

D-70439 Stuttgart

info@ibidem-verlag.de

www.ibidem-verlag.de
www.ibidem.eu
www.edition-noema.de
www.autorenbetreuung.de